D1306199

Le Voyage de Tanit

Chloé Lemaçon

Le Voyage de Tanit

Don Quichotte éditions

ISBN : 978-2-35949-015-2

I knew all the rules, but the rules did not know me.

Eddie Vedder, « Guaranteed », *Into the Wild*.

À Flo, mon Homme, Papa Colin.

Prologue

IL S'EST À PEINE passé plus de deux minutes depuis que Florent m'a dit : « Ça y est. Grouille-toi, putain grouille-toi ! », en me poussant à cacher Colin sous le matelas. Je suis dans la même position, je n'ai pas bougé. Je suis assise sur le lit de la cabine arrière, dos contre la coque à bâbord, Colin est blotti contre moi à ma gauche, Florent à ma droite.

Par le hublot grand ouvert, j'ai bien vu qu'un militaire se tenait debout, juste au-dessus de nous, mais je suis restée concentrée. Mon regard est rivé sur la coursive, je tiens une bouteille de vodka vide dans ma main droite, prête à la lancer sur un éventuel canon qui viendrait violer notre intimité.

J'ai senti Florent se relever légèrement et crier quelques mots. Mais à présent il est allongé de tout son poids sur mes jambes et je ne comprends pas pourquoi. Alors, sans lâcher du regard l'entrée de notre cabine, de la main gauche je lui tapote le dos et l'appelle : « Florent ! Florent ! » Soudain, un commando se tient face à moi, il nous vise avec son arme. Je m'écrie : « C'est nous, c'est nous, mon mari a fait un malaise. » Je l'entends parler d'une voix tendue

9

dans sa radio : « J'ai la femme et l'enfant », et vois s'approcher plusieurs commandos. Ils portent des armes, des cagoules, des casques, des gilets pare-balles ; ils sont noirs de la tête aux pieds.

En me levant, à la vue du sang, j'appelle : « Infirmier ! Infirmier ! » Je n'ai jamais hurlé si fort. Colin et moi sommes aussitôt extirpés de la cabine arrière. Il s'accroche à mon cou, se serre tout contre moi. Son corps est entièrement nu. L'étroite coursive nous sépare encore de la descente. Je découvre alors que *Tanit* est plongée dans un chaos total. Un bref instant, j'inspecte les lieux, autrefois si familiers, mais je ne vois plus que des morts, du sang, beaucoup de sang. Ma tête résonne du bruit des balles, tandis que l'odeur de la poudre s'insinue en moi à jamais.

Au pied de la descente, un commando attrape mon fils et le hisse hors du voilier ; la seconde d'après nous sommes accroupis dans un énorme zodiac de la Marine. Mes dernières secondes sur l'océan Indien sont peut-être aussi celles de Florent.

Rêves et Voyage

ANNÉES QUATRE-VINGT. Était-ce si différent d'aujourd'hui ? À bien regarder autour de moi, il semble que non. Nos enfants auront demain tout autant de rêves dans la tête que les protagonistes de ce récit, du moins je l'espère.

Florent et moi n'avons pas grandi dans le même univers, nos familles sont nourries d'histoires bien différentes, et pourtant nos rêves ont pris forme en se croisant. Florent est né en 1980, à Vannes, mais, dès ses six ans, Marie et Francis, ses parents, se sont installés sur la presqu'île de Rhuys. Je suis certaine que son goût de l'horizon s'est formé lors de ses premiers jeux de sable sur la plage de Suscinio, et de ses premiers bords tirés sur les caravelles[1] de la base nautique de Penvins, où il prit des cours à l'âge de huit ans.

Marie et Francis avaient à peine vingt ans lorsqu'ils se sont rencontrés à Poitiers. Ils ont emménagé à

1. La Caravelle est un nom commercial donné à un dériveur-école. Son plan a été dessiné en 1953 par l'architecte naval Jean-Jacques Herbulot, également créateur du Vaurien, du Corsaire et de nombreux bateaux populaires des années 1950 et 1960.

11

Auray car Marie y préparait son diplôme d'éducatrice spécialisée ; et ont choisi de rester dans la région. Après quelques années à Vannes, ils ont acheté une petite maison en pierre à Saint-Colombier et adopté ce côté du golfe du Morbihan dont le charme les avait conquis.

Florent a été élevé dans une famille où on lui a appris très tôt à développer sa sensibilité. Au cours des années 1990, quand Francis a implanté solidement son agence de communication en Bretagne, la famille s'est mise à voyager, en avion, commençant par visiter la Grèce, et s'y rendant à plusieurs reprises... Autant de séjours passionnants pour ces férus d'art et d'architecture. Puis, avec ou sans les enfants, ils découvrirent la Turquie, Mayotte, la Mauritanie, le Niger... Mais avant cela, ils avaient sillonné la France et les pays limitrophes, avec une attirance particulière pour l'Italie. Au fil de leurs expéditions, les parents de Florent éveillaient leurs enfants à l'artisanat local, en parcourant les écomusées des régions, et à l'art, en explorant les rues et les musées de Florence, Sienne ou Milan.

Évoluant dans le respect de l'environnement – et ce bien avant la vague écologique qui devait déferler dans la décennie 2000 –, ils leur enseignaient comment écouter et reconnaître les oiseaux, comment observer le monde. La passion de Florent pour le voyage et pour la mer a certainement trouvé sa source dans son rapport à la nature et aux hommes. La maison de Francis et Marie, en effet, était toujours grande ouverte, aux amis, à la famille mais aussi à ces gens de passage, issus de rencontres diverses, que le couple aidait quand il le pouvait. Le partage était une tradition familiale : ainsi, les parents de Marie avaient accueilli, pendant la guerre, des réfugiés de l'Est par simple humanisme.

Et puis il y avait la musique, qu'ils écoutaient passionnément. Ils emmenaient régulièrement Florent et Agathe, sa grande sœur, assister à des concerts. À l'âge de six ans, Florent est entré au conservatoire pour apprendre à jouer de la clarinette. Il y a suivi des cours pendant quatorze ans, y ajoutant la pratique de la guitare et du saxophone et passant les niveaux d'apprentissage qui lui permettaient d'enseigner le solfège ; son professeur lui reconnaissait la sensibilité et l'émotivité du musicien.

Ce faisant Francis et Marie léguèrent à leur fils la fibre de l'art, de la connaissance et une grande ouverture d'esprit.

PARMI LES AMIS du couple, il y avait un jeune homme, Hervé, un navigateur qui gardait régulièrement Agathe et Florent. Il était scout marin, voyageait beaucoup, alors il leur racontait des histoires, et encore des histoires... Florent avait six ans, lui une vingtaine d'années, et il le captivait des heures durant, au fil de ses récits. Petit à petit, Florent se fabriquait son rêve. Hervé aimait la mer bien qu'il ait vécu une histoire très triste sur un voilier. De fait, celui qui allait contribuer à donner le goût du large à Florent avait assisté au décès brutal de son père, en mer.

Il lui fit découvrir l'Égypte et la mer Rouge, quand il l'embaucha comme second, en 2001, sur un catamaran dont il était le skipper. Florent n'était pas là seulement pour naviguer, mais aussi pour apprendre.

Accompagné d'un professeur de qualité, il prit conscience peu à peu du rôle de Capitaine et des responsabilités qui lui incombaient hors navigation.

Florent était un garçon aussi sérieux que déconneur, ce qui m'a toujours fait dire de lui qu'il était un sage. Il me répétait qu'il n'aimait pas les études, mais, contrairement à moi, il avait eu l'intelligence d'en tirer le meilleur parti, et de conclure : « Puisque j'y suis, j'écoute, et le plus gros du savoir sera enregistré. » Déjà, à 15 ans, il savait être raisonnable sur les questions d'importance et je trouvai cette qualité rare. Il n'avait pas peur de ce qu'il était, contrairement à la plupart des adolescents.

C'est aussi vers ses six ans qu'un autre ami de la famille, Dominique, la trentaine, acquit un beau voilier, qu'il mouilla dans la rivière du Bono. Les yeux de Florent avaient pétillé à la vue du bateau. Cet homme, qui fut plus tard le skipper d'un dériveur en alu de 20 mètres naviguant en Turquie, lui proposa, l'été de ses 15 ans, de le rejoindre le temps des vacances. Il avait besoin d'un équipier, l'occasion idéale pour Florent de concilier travail et voyage.

Quand Florent avait une passion, il veillait à se forger les connaissances nécessaires pour l'assouvir. Avant de s'engager sur des bateaux, il avait fait ses premières armes sur la mer en kayak. Il avait découvert, à 12 ans, les joies d'un sport qui, sans être excessivement physique, imposait néanmoins de nombreux défis. Comme Florent allait au bout de ses idées, il tenait à explorer toutes ses capacités, il était devenu initiateur à 16 ans puis moniteur à 19. Pendant plus de cinq étés, il enseigna ainsi à Penvins, puis au Logeo, faisant visiter le Golfe – sa faune et ses paysages – à de nombreux enfants pour qui ce séjour à la mer était bien souvent le premier. C'est en kayak que Florent sut montrer qu'il savait garder son sang-froid – une qualité fondamentale en mer. Dans des conditions météorologiques difficiles, à Groix, en novembre 1994, il avait repêché à trois reprises un homme qui s'était retourné avec son kayak. Surpris par une forte houle, l'homme avait cédé à l'affolement et Florent était venu le secourir. D'une voix calme et autoritaire, Florent l'avait enjoint de reprendre ses esprits, puis il l'avait aidé à regagner la côte. La même année, avec la même assurance, il avait secouru du haut de ses 14 ans un homme qui s'était retourné dans le courant de la Jument et qui, faute d'esquimoter, menaçait de se noyer.

Quand sa sœur rencontra Jérôme, Florent avait 16 ans, et il s'installa rapidement chez le couple. Si bien que Jérôme et lui devinrent des amis. Ce dernier le traînait sur les régates du coin, auxquelles il participait avec son Muscadet, ce voilier de croisière côtière conçu par Philippe Harlé en 1963. Avec le Corsaire et le Vaurien, il est l'un des voiliers en contreplaqué ayant permis l'essor de la plaisance en France.

LE GOLFE DU MORBIHAN est un terrain de jeu idéal pour apprendre la voile ; Jérôme connaissait le coin sur le bout des doigts et aimait à partager son plaisir et ses savoirs. C'est lui qui apprit réellement à naviguer à Florent ; hiver comme été, tous deux étaient sur l'eau à tirer des bords. La pratique du kayak avait également permis à Florent d'explorer et de contrôler parfaitement les courants du Golfe, un atout non négligeable. La voile lui plaisait et ses rêves de navigation prenaient ainsi une allure réalisable. Comme tout marin qui aspire à de grandes traversées, il se mit à lire des récits mythiques. Ce furent d'abord les livres de Bernard Moitessier. *La Longue Route*[1] ou *Vagabond des mers du sud*[2] sont les indispensables d'une bonne bibliothèque de récits de mer. L'histoire de Moitessier est, par bien des aspects, exemplaire pour tout navigateur en herbe.

Ce dernier grandit en Indochine et apprit à naviguer sur des jonques. En 1952, il en acheta une, la nomma *Marie-Thérèse* et décida de lever l'ancre, cap vers l'Afrique. Cependant, après une longue et périlleuse traversée, *Marie-Thérèse* finit son voyage sur les récifs des Chagos, dans l'océan Indien. Les habitants tentèrent bien d'aider Bernard, mais son bateau demeura irrécupérable. Malgré cela, il ne perdit pas espoir de recommencer et partit pour l'île Maurice, où il travailla et construisit *Marie-Thérèse II*. Il leva l'ancre une nouvelle fois pour l'Afrique en 1955. S'ensuivirent trois belles années de voyage, souvent en compagnie de son ami Henry Wakelam, qui naviguait à bord de *Wanda*, un petit sloop[3]. Tous deux rivalisaient d'ingéniosité pour équiper leurs embarcations à moindre coût. Partout où ils s'arrêtaient, ils se débrouillaient pour gagner un peu d'argent, en acceptant un tas de petits travaux.

1. Arthaud, 1984.
2. Arthaud, 1960.
3. Voilier à un mât, gréé avec une grand-voile triangulaire et un seul foc à l'avant.

Pour Moitessier, le voyage prit à nouveau fin suite au naufrage de *Marie-Thérèse II* à Saint-Vincent, aux Antilles. C'était en 1958. De retour à Paris, il rencontra Jean-Michel Barrault, le fondateur du magazine *Voiles et Voiliers* qui lui conseilla d'écrire ses aventures. Il publia alors son livre *Vagabond des mers du sud* dans lequel il raconta les aventures vécues avec · les deux *Marie-Thérèse*. Passionné et épaté par son récit, Jean Knocker, architecte naval, le contacta et lui offrit de dessiner le bateau de ses rêves, tandis que les chantiers Méta lui proposaient de l'aider pour la construction. Cette dernière fut initiée en septembre 1961, et, en avril 1962, à force de débrouille et d'économies, *Joshua* fut prêt à prendre la mer, avec à son bord un petit moteur, des poteaux télégraphiques pour mât, et des câbles EDF pour gréement dormant[1]. *Joshua* ne fut pas baptisé ainsi au hasard, mais en hommage à Joshua Slocum, le premier marin à avoir fait le tour du monde en solitaire, sur un voilier, en 1895[2]. En 1963, Bernard partit avec sa femme Françoise pour la Polynésie et décida de revenir par le cap Horn. Après 126 jours de mer et 14 216 milles parcourus, les Moitessier battaient le record de la plus longue traversée à la voile sans escale[3]. En 1968 enfin, le *Sunday Times* organisa une course au règlement simplifié : chacun partirait entre le 1er juin et le 31 octobre du port anglais de son choix ; il suffirait

---

1. Toutes les parties fixes servant à régler et établir la voilure.
2. *Seul autour du monde sur un voilier de onze mètres*, Joshua Slocum, Chiron, 1996.
3. *Cap Horn à la voile*, Bernard Moitessier, Arthaud, 1993.

ensuite de boucler le tour du monde par les trois caps, sans toucher terre et sans assistance. Alors qu'il était en tête de course – mais ne le savait pas faute de moyens de communication –, Bernard voulut continuer et franchit une deuxième fois le cap de Bonne Espérance. Sa Grande Route ne pris fin qu'après 300 jours de mer ; il pulvérisa le record de la plus longue traversée en solitaire sans escale, avec quelques 37 455 milles parcourus, soit 69 367 kilomètres : un tour du monde et demi. Son histoire prit fin en 1994, après d'autres naufrages, d'autres bateaux, d'autres voyages. Il a suscité de fortes vocations en transmettant sa précieuse philosophie du bonheur et de l'humilité à tous ceux qui, épris de liberté, ont « franchi le pas » et s'épanouissent loin de nos contrées agitées. Son génie de la simplicité, son rapport pur et serein à la mer et au voyage ne pouvaient que résonner chez Florent.

Bien sûr, Moitessier ne fut pas le seul à jouer un rôle clef dans l'imaginaire de Florent, qui se passionnait également pour *Le Voyage de Damien*[1]. Cette épopée était celle de trois copains, partis pour le Spitzberg, en 1969, à bord d'un bateau qu'ils avaient construit ensemble de leurs mains. Seule les portait leur volonté farouche. Ils n'avaient pas un sou en poche, n'étaient jamais montés sur un bateau et avait projeté leur voyage depuis Grenoble « le nez sur le bleu des mappemondes ». Ils parcoururent 20 000 milles à la voile, et le récit de Gérard Janichon devint le livre de chevet de tous ceux qui rêvent de voyages. Comme beaucoup d'autres,

---

1. cf. *Damien autour du monde : 55 000 milles de défis aux océans*, Gérard Janichon, Transboréal, 2002.

ces marins étaient jeunes, ne possédaient pas grand-chose d'autre que leurs rêves et leur détermination, et ils vécurent ainsi des histoires extraordinaires. Les défis lancés par la mer, la nature et l'effort étaient plus intenses que l'appel de la société de consommation.

Fort de ses expériences maritimes et littéraires, Florent embarqua, en 2003, comme équipier sur une transat[1] avec son père et un ami, le même qui l'avait emmené en Turquie. Ce fut une aventure ardue, tant au niveau des relations humaines que des conditions de navigation, et Florent sut dorénavant jusqu'où il pouvait aller. Lorsqu'il revint en France, malgré les difficultés qu'il avait traversées en mer, il avait deux fois plus envie de repartir. Marie lui demanda s'il était guéri de la voile. Non, il ne l'était pas, au contraire !

MA MÈRE, Martine, avait 17 ans quand elle a croisé pour la première fois Claude, mon père, qui avait presque deux fois son âge. Parisiens, ils se sont installés en Bretagne en 1973. Ma mère passait jusque-là toutes ses vacances dans le golfe du Morbihan, mais plus souvent sur l'eau, à bord de son Vaurien, que dans la maison familiale.

J'ai vu le jour – et la mer – en 1978 à Vannes, mais ne me rappelle pas, hélas, ma première navigation sur le Sangria[2] familial, puisque je n'avais pas un

---

1. Traversée de l'Atlantique.
2. Premier croiseur conçu selon le nouveau concept de « bateau plaisir » en polyester dessiné par Philippe Harlé.

an. Même si certains souvenirs me font défaut, toute mon enfance fut cependant baignée par le rythme des croisières. Nous filions de Vannes à Houat à la moindre occasion, traversions la Manche – j'avais quatre ans – ou bien passions des Noëls atypiques sous les cocotiers de Mayero, aux Antilles. Des situations dures comme les pannes ou les coups de vent n'ont jamais entaché l'essentiel ; je ne garde qu'un sentiment général de bien-être de tous ces moments en mer. Mais lorsque j'ai eu 10 ans, mes parents se sont séparés, et mon lien avec la voile s'est étiolé pendant l'adolescence. Mes parents, en effet, ont vendu leur voilier en même temps qu'ils ont mis fin à leur mariage et je n'ai plus guère eu d'occasions de naviguer, du moins à la voile. C'est seulement vers mes 20 ans que j'ai redécouvert, avec des amis qui possédaient déjà leur premier bateau, les joies de la navigation. Quand on est né dans la région, il n'est pas rare d'acquérir, assez jeune, un petit voilier – comme d'autres une voiture – et cela confère une grande liberté.

J'ai eu aussi mes révélations littéraires. En 2001, comme j'étais en voyage professionnel à Cuba, le hasard a mis entre mes mains deux livres, *Sept fois le tour du soleil* [1] de Nicole Van de Kerchove et *Le Bonheur sur la mer* de France Guillain[2]. Nicole avait parcouru ses premiers milles à l'âge de 15 ans sur un Corsaire, qu'elle s'était acheté grâce à la générosité de sa grand-mère. Elle devint amie avec Moitessier en

1. MDV Maîtres du Vent – Babouji, La Falaise, 1978.
2. *Le Bonheur sur la mer*, France et Christian Guillain, Robert Laffont, 1974.

1967, au moment où elle entreprit de suivre un cours de navigation sur *Joshua*. Le 28 novembre 1968, elle quittait Nieuwpoort, en Belgique, à bord de *L'Esquilo*, petit cotre[1] en acier qu'elle avait fait construire en Hollande. Partie, au départ, pour quelques mois seulement aux Antilles, elle écuma pendant sept années les mers du globe et rencontra un autre marin dont elle eut une petite fille. Tous trois rentrèrent avec *L'Esquilo* en 1975. Je fus immédiatement captivée par cette femme, qui avait été capable de larguer les amarres à 23 ans pour un monde inconnu. Le bonheur émanant de son récit m'éblouissait, et si je n'imaginais pas avoir assez de courage pour entreprendre un tel périple seule, j'étais néanmoins certaine que cette vie me conviendrait. Nicole avait écrit d'autres livres, notamment un guide de navigation avec des enfants[2]. J'ai immédiatement apprécié la façon dont elle parlait du quotidien à bord : rien n'était parfait, les contraintes s'accumulaient, mais c'était bon, tout simplement. Par la suite, j'ai souvent parlé d'elle avec Florent. Quand elle n'était pas en Patagonie avec *L'Esquilo*, elle vivait dans son manoir près de Pontrieux, en Bretagne. Elle s'adonnait à son autre passion, le piano, et proposait aussi des chambres d'hôtes. J'aurais aimé aller lui rendre visite, je suis certaine que beaucoup de choses seraient passées, surtout avec Florent, mais elle est malheureusement décédée en 2008.

1. Voilier à un mât, gréé avec foc et trinquette.
2. *Embarquez vos enfants*, Nicole Van de Kerchove, Pen Duick, 1988.

France Guillain, originaire de Polynésie, avait rencontré Christian, marin de passage, à Papeete. Ensemble, ils eurent trois filles et entamèrent leur première grande croisière tandis que leur aînée avait seulement quelques semaines. Ils naviguèrent autour du monde des années durant, avant de se séparer. Puis France continua à parcourir les océans avec ses filles. Elle aussi publia un guide dédié aux mamans des petits moussaillons[1].

Deux femmes, deux jeunes mères, deux beaux voyages autour du monde... Le rêve était définitivement ancré en moi.

QUAND VIENT L'ÂGE ADULTE, il arrive souvent que les rêves d'enfant se métamorphosent en regrets. Florent et moi caressions les mêmes idéaux depuis nos plus jeunes années, et avions la même volonté de les transformer en réalité. Aucun de nous n'eut jamais à s'effacer pour permettre à l'autre de s'épanouir. Cela fit, je pense, la force de notre amour. Aurions-nous seulement osé croire au voyage si nous ne nous étions pas rencontrés, si nous n'avions pas été deux ? Depuis toujours, alors que nous étions encore des inconnus l'un pour l'autre, nos vies étaient déjà liées comme implicitement par un désir commun.

En 1984, Marie et mon père, Claude, travaillaient dans le même établissement. Ils se croisaient, se saluaient, mais leurs relations s'arrêtaient là. Marie ne savait sans doute pas que mon père avait un fils de neuf ans, qui portait le nom de l'enfant qu'elle-même

---

1. *Naviguer avec ses enfants*, Arthaud, 1984.

avait mis au monde quatre ans plus tôt – mon frère aîné, Florent –, et une petite fille de 6 ans. Elle ignorait forcément que cette petite fille-là deviendrait aussi la femme de son fils. Seule la vie vannetaise nous fit, le temps passant, nous rencontrer tous. Au lycée, mon grand frère devint l'ami d'Agathe et de Jérôme, son futur mari. Quelques années plus tard, je fréquentai le même lycée que Florent et nous eûmes bien des amis en commun. Mais ce n'est qu'après la fac que nous fîmes connaissance, à la fin des années 1990.

Florent et moi avions nos vies, nos copains, et malgré notre commune attirance il me fallut des années pour prendre conscience qu'il était l'Homme de ma vie. Mon petit ami de l'époque, Manu, et moi, étions liés avec Jérôme et Agathe, ainsi partions-nous en virée tous ensemble sur leur Muscadet. Lors de ces sorties, Florent et moi avons partagé nos premiers milles.

Puis vint la fin des études et l'heure de travailler.

Florent, passionné d'informatique depuis son plus jeune âge, traînant régulièrement sur les Macintosh du coin PAO, devint naturellement le spécialiste de la question à l'agence de conseil en communication de son père Francis. Il aimait les challenges et ne baissait jamais les bras lorsqu'il s'agissait de perfectionner les installations nécessaires aux infographistes. Attiré par la photographie – initié à cela par Francis –, il devint aussi le photographe de l'agence et parcourut la Bretagne pour remplir la base de données.

L'année 2002, Francis eut un projet ambitieux. Avec Marie, ils avaient découvert le Niger et créé une association, Un livre... des livres, qui devait permettre la création de bibliothèques dans des écoles, d'abord à Niamey, puis ailleurs dans le monde. Il entreprit de se lancer dans l'édition en publiant le premier livre[1] qui serait vendu au profit de l'association. Florent partit passer un mois à Niamey et sillonna les rues de la ville pour en rapporter de magnifiques portraits. Il était reçu là-bas par Nolwenn, une amie d'enfance mariée avec Mohammed Alassane, un Touareg ; tous deux écrivirent les textes du livre. De retour en France, Florent consacra des semaines entières à la mise en page, ainsi qu'à soigner la fabrication.

De mon côté, j'étais entrée, un peu par hasard, dans le milieu des intermittents du spectacle. En 2001, avec Agathe, nous avions travaillé pendant cinq mois sur le tournage d'un film de Manuel Poirier[2] qui se passait dans la région. Puis j'eus la chance de partir en tournage à l'étranger pour TV Breizh[3]. En 2003, j'avais 25 ans, et je vivais la majeure partie de mon temps à Paris. Je travaillais comme régisseuse sur des films et des publicités. C'est à cette époque que Manu et moi nous sommes séparés, après sept années ensemble. Lorsqu'en janvier 2004 j'ai décidé de quitter la capitale et d'abandonner la voie professionnelle que j'avais empruntée, c'est parce que j'avais réalisé que cette existence-là n'était pas faite pour moi et que je risquais fort d'y être malheureuse. Je suis donc

1. *Niamey, le monde des petits métiers*, Un livre... des livres, 2003.
2. *Les Femmes... ou les enfants d'abord*, 2002.
3. « Les Bretons du tour du monde ».

rentrée en Bretagne. J'avais un projet de transat avec un ami et tenais à me laisser quelques mois pour savoir ce que je voulais faire de ma vie. Toutefois, quand je me suis installée à Baden, mon chemin croisa de nouveau celui de Florent, qui sortait lui aussi d'une relation. Nous habitions le même village, fréquentions les mêmes endroits...

EN AVRIL 2004, nous avons échangé notre premier baiser sur une plage du Golfe, un soir de pleine lune. En juin, nous partions en mer et cette navigation en amoureux scella la confiance que nous avions l'un en l'autre. Pendant trois jours nous n'avons pas posé un pied à terre. Nous étions si heureux, tous les deux, sur notre petit voilier baigné de sérénité. Tout au long du printemps et de l'été, nous avons passé des heures à dessiner notre vie future. Nous aspirions aux mêmes rêves, partagions les mêmes ambitions. Nous fonctionnions à moyen terme, ne recherchions pas de CDI et n'envisagions pas de souscrire un emprunt sur trente ans pour construire une maison. Nous voulions seulement être ensemble, gagner un peu d'argent pour voyager, sans nous soucier démesurément de l'avenir.

À l'automne, Florent me parla de son désir d'avoir un enfant et, bien que réticente au début et a priori pas trop pressée, je me laissai vite convaincre. Je savais qu'il tenait fort à notre amour, qu'il aspirait à être heureux avec moi et à me rendre heureuse. Je ne pouvais que lui dire oui.

En mars 2005, j'étais enceinte de deux mois, et je relus *Sept fois le tour du soleil*. Tous les jours ou presque, quand Florent revenait du travail, nous allions nous balader sur l'un des nombreux sentiers côtiers du coin et parlions de voyages et de bateaux...

Le reste du temps nous le passions dans une chaumière digne des contes de *Blanche Neige* ou de *Boucle d'Or* où nous habitions. Entourée de champs, protégée par un splendide chêne centenaire, cette maison était parfaite pour abriter nos rêves et nos bonheurs. Quand Florent ne jouait pas de la guitare avec Raoul, son ancien professeur de philosophie devenu son ami, sous le chêne, il m'aidait dans le potager ou s'occupait des poules. Nous nous étions créé notre univers et ne manquions jamais d'activités. Puis, de temps en temps, pris par des envies de grand large, nous partions avec le camion de Florent parcourir les côtes bretonnes.

Je commençai à faire très attention à ce que je mangeais. Nous consommions des produits biologiques et essayions d'équilibrer au mieux les apports nécessaires à notre bébé. Quand je ne me levais pas en même temps que lui, Florent, attentionné, ne quittait jamais le lit sans me caresser le ventre et susurrer quelque secret à notre enfant.

Nous voulions l'élever au soleil, sans doute à Mayotte, alors nous avons déménagé à sa naissance, dans une maison moins coûteuse que celle où nous vivions. Nous pensions partir pour les Comores dans une année au plus tard, et nous y installer un moment. Un héritage resté longtemps en suspens nous permit cependant de rêver à un départ en mer. Nous avions décidé que Colin, ce petit bout d'homme né à Vannes le 16 octobre 2005, voyagerait et grandirait sur un voilier. Colin allait avoir trois mois quand Florent entreprit de rechercher sur le net le bateau de nos rêves. Pour l'achat, nous disposions d'un budget de 30 000 euros, moins éventuellement. Plus eût été impossible. Cette limite financière nous forçait à nous concentrer sur la catégorie des 10 mètres. Un jour pourtant, au détour de la toile, Florent découvrit *Tanit*, un beau navire de 14 mètres. Premier atout à nos yeux, il était grand ; et c'était un bateau de voyage, un vrai ! Un de ceux qui avaient déjà vu les milles défiler le long de leur coque, qui avaient une âme et une histoire. Daniel et Marie, ses propriétaires, avaient navigué à son bord pendant huit ans avec deux enfants, essentiellement en Casamance. Celui qui avait construit et étrenné *Tanit* avait traversé plusieurs fois l'Atlantique. Enfin, le voilier était visible à Pont-l'Abbé, tout près de chez nous.

On téléphona, convint d'un rendez-vous, soudain pris de peur à l'idée qu'il nous échappe. Marie était seule pour nous le faire visiter, j'avais le sentiment qu'elle n'avait pas vraiment envie de le vendre. Elle essayait tant bien que mal de nous dissuader, assenant que *Tanit* requérait un vrai sens marin, qu'il fallait être doué pour le manier, interrogeant Florent sur son expérience. Son mari et elle le cédaient pour raisons personnelles, mais c'était un vrai déchirement pour eux que de s'en séparer. Trop tard. De notre côté, l'étincelle avait déjà produit son effet.

TANIT EST un ferrociment de construction amateur. Il date de 1976 : quille longue, carène de type norvégien ; construit sur les plans du *Joshua* de Moitessier, même roof typique mais avec un pont plus haut de 10 centimètres et une quille plus profonde ; il était gréé en cotre, depuis que son premier propriétaire avait supprimé le mât d'artimon[1]. En effet, il s'était fait peur sur une traversée de l'Atlantique, le gréement en ketch ayant une prise au vent plus importante.

Ferrociment. Le terme, technique, ne doit pas être confondu avec béton armé. Le ferrociment est un matériau composite fait de mortier, de ciment hydraulique, et d'une armature constituée de couches continues de grillage d'acier réparties dans toute la masse. Le ferrociment se comporte comme le béton armé dans ses caractéristiques de résistance aux charges. La principale différence vient de ce que, dans le ferrociment, le développement des fissures est retardé par la fine dispersion de l'armature dans le mortier. Cela rend le matériau intéressant pour la construction navale, car il empêche la corrosion de l'armature en acier, et la pourriture.

En dépit de quelques expériences hasardeuses au début du XXᵉ siècle, l'histoire du ferrociment commença réellement en 1943, grâce à des recherches qui permirent de construire un bateau moins lourd de 5 % que les bateaux en bois classiques.

La plaisance française dut attendre les années 1970 pour découvrir ce matériau avec lequel deux sortes de constructions sont possibles, la meilleure étant

---

1. Sur les voiliers à deux mâts, le mât arrière, dit d'artimon, est placé en avant de la barre et appelé ketch.

celle « sur moule ». Comme en acier, les voiliers en ferrociment ont un fort déplacement, ce qui permet d'en faire de bons bateaux de voyage, très habitables et supportant la charge. Malheureusement, quelques rêveurs infortunés se sont lancés en amateurs dans la fabrication, mettant à l'eau des bateaux peu solides. Ainsi, quand les professionnels s'intéressèrent à la question, le ferrociment avait déjà acquis une mauvaise réputation, et il fut vite oublié au profit, notamment, du polyester[1]. Cependant, certains chantiers de Nouvelle-Zélande continuent à construire des bateaux de pêche en ferrociment.

Tanit mesure 14,50 mètres et pèse 15 tonnes. Comme Nicole Van de Kerchove je n'aurais jamais envisagé une vie seule en mer, mais Florent et mon fils seraient mes moteurs. Cette existence-là, c'est avec eux que je la souhaitais. Le quotidien à bord n'était pas source de préoccupation, je savais qu'il serait heureux. Seuls les coups de vent m'angoissaient encore un peu. Mais lorsque j'aurais bravé ma première tempête à bord de *Tanit*, je pourrais me laisser porter jusqu'au bout du monde sans l'ombre d'une crainte.

Quand nous avons annoncé à notre entourage notre projet d'acheter ce voilier, les a priori se sont faits nombreux, les langues se sont déliées et les avis ont fusé. « Le ferrociment ? C'est lourd, ça n'avance pas ! » « Un bateau en ciment, mais vous êtes fous ? » Peut-être étions-nous fous, et après ? Le poids, la vitesse ne m'inquiétaient guère. Pour la navigabilité,

---

1. www.hisse-et-oh.com

je laissais Florent seul juge car je n'avais pas les connaissances requises dans le domaine. Notre but n'était pas de régater mais bien de vivre à bord. J'avais entièrement confiance en lui et ne retenais qu'une chose : *Tanit* me plaisait beaucoup, à peine y avais-je pénétré que je m'y étais sentie presque chez moi. Il fallait pourtant de l'imagination pour visualiser ce que nous en ferions car l'intérieur avait besoin d'un bon coup de neuf. Était-il pour autant raisonnable de se jeter à corps perdu sur le premier bateau visité ? Pour faire taire nos doutes, nous décidâmes de visiter un Rêve d'Antilles[1] qui était à vendre au même prix que *Tanit*, et visible à Lorient. Tandis que nous examinions le bateau, Colin n'eut de cesse de pleurer, je m'y sentis mal à l'aise, Florent n'était pas convaincu... Notre choix était fait.

Nous étions fous, mais nous étions heureux. Par curiosité tout de même, j'irais plus tard consulter quelques forums parlant de ferrociment... Comme souvent, les avis y étaient très partagés, mais j'appris que les nombreux problèmes qui firent la mauvaise publicité du matériau étaient effectivement dus à des soucis de construction. Je ne m'en souciais pas puisque *Tanit* avait été conçu sur moule, un gage de qualité. Enfin, son « âge avancé » en faisait un bateau sûr.

LA TRADITION veut qu'on ne change pas le nom d'un navire. Je me suis alors renseignée sur la signification du terme *Tanit* et j'ai découvert qu'il s'agissait d'une déesse, d'origine phénicienne. Elle avait pour

1. Sloop en acier de 12 mètres.

attribut de veiller à la fertilité, aux naissances et à la croissance. Elle était la divinité tutélaire de la ville de Serepta et son culte avait pris de l'ampleur à Carthage, où on la nommait Oum. Certains voient dans la croix d'Agadez (le symbole touareg du Niger) la reprise de l'emblème désignant *Tanit*. Coïncidence heureuse qui nous renvoyait aux liens forts que la famille entretenait avec le Niger et ses amis touaregs. Ce signe, qui à d'autres aurait pu paraître anodin, me conforta dans la confiance que j'accordais déjà à *Tanit*. Qui pourrait mieux veiller sur le bon développement de notre fils ? Et, pourquoi pas, sur la naissance d'un prochain matelot ?

Lorsque l'on acquiert un bateau, la première question à se poser est : où l'amarrer[1] ? Comme tout le monde, Florent et moi avions interrogé les ports et les communes du Golfe. Il n'y avait déjà pas beaucoup de corps-morts[2], mais au printemps, pour un bateau de cette taille, on nous fit comprendre qu'aucune place ne serait disponible. À moins, bien sûr, de faire appel à une grande société, de celles qui gèrent certains ports et mouillages du Golfe, et de nous délester dans un même geste d'une bonne partie de notre budget. Quand nous sommes entrés dans le Golfe en mai 2006, nous avons finalement installé *Tanit* au mouillage sur son ancre derrière Holavre, une île face à Arradon. Le voilier trouva rapidement sa place dans son nouvel environnement. Et comme

---

1. Retenir un navire au moyen de bouts.
2. Bouée fixe, privée ou communale, où l'on peut amarrer un bateau.

nous comptions naviguer tous les week-ends, nous avons opté pour cette solution le temps de la saison. Cela impliquait de grandes traversées avec l'annexe, parfois chaotiques, mais qui étaient toujours l'occasion de bons moments, et qui enchantaient Colin.

Les premiers milles parcourus, Florent sut qu'il avait fait le bon choix ; Colin et moi avions adopté notre navire. Nous vécûmes une grande partie du printemps et de l'été à bord, si bien que, pour ses huit mois, Colin débuta le quatre pattes sur le pont. Depuis quelques semaines que nous possédions le bateau, nous avions eu le temps de le ramener de Pont-l'Abbé jusqu'à Holavre, et de faire quelques traversées vers des îles du Ponant. Nous invitions les copains ou la famille pour des virées, à Houat, ou encore à Hoëdic. Cette acclimatation fut décisive : nous avions hâte de vivre à bord, et de partir pour un long voyage. Qui prétendait que le ferrociment se traînait ? À 6 ou 7 nœuds dans un petit temps, *Tanit* nous conduisait fièrement et sûrement. Notre souhait, avant le grand départ, était de réussir à ne faire qu'un avec elle.

Au cours de l'été 2006, nous étions partis quelques jours en balade avec des amis, et leur fils, Milo. Il s'amusait à appeler notre bateau « la grosse *Tanit* ». C'est pourquoi nous nous sommes mis à parler de *Tanit* au féminin. Le marin personnifie souvent son navire, le nôtre serait notre protectrice, notre amie. Maurice Duval aborde bien le sujet de la personnification du navire dans un livre[1] que l'on pourrait

---

1. *Ni morts, ni vivants, marins !* Maurice Duval, Puf 1998.

définir de manuel ethnologique du marin français au long cours.

Un bateau a une identité, une nationalité, un domicile... de son baptême (mise à l'eau) à sa mort (destruction), la vie d'un navire est faite de métaphores. Lorsqu'il « talonne », c'est que sa quille a touché le fond, tandis qu'il se « couche » lorsqu'il gîte excessivement ou qu'il « fait la grimace » quand il entre au port. On appelle communément sa proue son « nez », ou sa poupe « son cul », comme on parle de « squelette » quand la construction est apparente. Certains marins affirment même que leur bateau a « une âme » qui contribue à définir l'ambiance à bord. Enfin, pour les Anglais le bateau est féminin, tandis que les Allemands le féminisent dès qu'il a été baptisé. Nous n'étions pas seuls à sentir une âme « féminine » dans notre bateau...

Nos premiers rapports furent mis à rude épreuve. À peine arrivée dans le Golfe, bien installée sur son mouillage derrière Holavre, *Tanit* dut affronter une petite tempête de printemps. Nous étions méchamment inquiets, voyant s'écouler les heures au compte-gouttes, la boule au ventre, guettant le vent qui forcissait, dormant peu et mal, et effectuant de perpétuels allers-retours entre notre maison et la côte pour vérifier la tenue de l'ancre. Au deuxième jour, nous décidâmes de la mettre à l'abri sur un corps-mort de l'Île-aux-Moines, pour la protéger des rochers d'Holavre. Laissant le vent s'éloigner, Florent et moi avons pu, le lendemain, reprendre tranquillement « notre place », et en profiter pour voguer seuls sur *Tanit* pour la première fois. J'aperçus un mât dépasser derrière l'île, cette vision me laissant déjà craindre qu'un autre bateau occupât « notre emplacement »... Il s'agissait en fait d'un petit voilier posé sur les cailloux, un des dix bateaux qui avaient rompu leurs amarres dans le Golfe, sous les rafales de vent.

LE MONDE ET L'AVENIR avaient beau nous appartenir, il fallait bien tout de même que nous nous donnions un semblant d'emploi du temps. Il changerait probablement pour raisons pécuniaires, mais il nous permit de décider de lever l'ancre en juillet 2008, et pour de bon. Jusqu'à la fin de l'été 2006, jours de repos et congés furent ainsi consacrés à la navigation. Nous cherchions à connaître au mieux notre bateau pour y faire les aménagements et les améliorations adéquats. Nous avions peu de gros travaux à exécuter, aucun sur la coque, mais nous souhaitions remodeler entièrement l'intérieur du voilier. Réservation fut donc prise au chantier Caudard, à Vannes, où Florent referait une beauté à *Tanit* durant les mois d'hiver.

Mais, en attendant, nous voulions nous occuper de nous. Le 2 septembre 2006, après bébé et navire, l'heure fut au mariage. Nous souhaitions officialiser notre union parce que nous nous aimions bien sûr, mais aussi parce que, pour voyager, il nous semblait plus judicieux d'être mariés. Cet événement fut ainsi l'occasion parfaite pour fêter nos projets avec notre famille et nos amis. Une semaine après notre union, *Tanit* devait être mise à terre et il était hors de question qu'elle y stationnât des années. Nous avons donc attaqué les travaux immédiatement, en commençant par la vider entièrement.

En octobre, Florent fut licencié de l'agence pour raisons économiques et dut suivre un programme de reclassement professionnel. Il en profita pour se consacrer à notre voilier, tout en mettant sur pied une entreprise individuelle de services en informatique et infographie qui lui permettrait de travailler jusqu'à notre départ. De mon côté, je reprenais une activité professionnelle après mon congé maternité, en créant à mon tour une entreprise individuelle, mais dans le domaine de la vente. Par hasard, j'avais repéré des nouvelles chaussures en résine, les Crocs, et je croyais beaucoup au produit. Au printemps 2007, je commençai à les vendre sur les marchés de la région et travaillai tous les matins, laissant Colin chez la nounou ou avec ses mamies. Notre projet de grand voyage n'était encore qu'à ses balbutiements. Toutes nos économies avaient été englouties dans l'achat de *Tanit*, et pourtant nous devions encore l'aménager, en faire notre cocon, et améliorer une partie de l'équipement. L'intégralité de nos revenus passa donc dans les travaux, sans budget précis, mais avec un seul mot d'ordre : dépense minimum pour une qualité de vie maximum.

On ne prend pas la mer sur un navire dont on ne connaît pas le moindre recoin. La première mission de Florent consista donc à démonter tout ce qui y était démontable : vaigrage[1], coffres, équipets, cuisine, toilettes... Ce bon nettoyage, indispensable avant tous travaux, lui permit d'éliminer les vaigrages rongés par

---

1. Le vaigrage est l'ensemble des pièces qui sont placées sur les couples du côté intérieur de la coque d'un bateau.

l'humidité, de refaire les peintures et, enfin, de revoir l'isolation. Quotidiennement, nous sondions le net pour dégotter le matériel nécessaire aux meilleurs prix, écumant également les dépôts nautiques de la région. Florent revit le circuit électrique et, par souci de consommation, changea tous les éclairages. Il adapta une partie des culots et équipa toutes les lampes d'ampoules Led, nous offrant un éclairage peu gourmand en énergie sans assécher notre porte-monnaie. Il installa des prises allume-cigare dans le carré[1] et la cabine arrière. Elles pouvaient être utiles pour brancher ou recharger un ordinateur, un téléphone, mais aussi pour un petit aspirateur portable – fort pratique avec un enfant à bord – dont Florent transforma l'alimentation en 12 V. La cuisine est la seule partie de *Tanit* que nous avons entièrement réaménagée.

Un bateau est fait de multiples renfoncements qui peuvent vite le transformer en un habitat peu hygiénique. Nous voulions donc beaucoup de rangements, accessibles et faciles à nettoyer. La cuisine était en forme de L, sur tribord. Si *Tanit* était déjà équipée d'une glacière intégrée, nous avions acheté sur Ebay un frigo de bateau artisanal, dont Florent avait récupéré le compresseur et l'évaporateur pour les adapter à notre glacière. Ce système ingénieux nous permettrait par la suite de disposer d'un frigo quand nous serions dans un port, l'idée n'étant pas de l'utiliser en mer.

De temps à autre, pendant les travaux, je rejoignais Florent sur le bateau, après les marchés, mais il me chassait gentiment : j'étais trop râleuse quand je bri-

---

1. La pièce centrale du bateau, ou salon.

colais. Lui, en revanche, changeait jour après jour. Il faisait corps avec son bateau, son rêve prenait forme et il était déterminé à le mener à bien rapidement. Pendant ces neuf mois de travaux, j'ai été admirative de sa volonté. Il ne s'est pas passé un jour sans qu'il aille au chantier, ne laissant rien au hasard.

Pour les aménagements de confort, nous avons joué l'adaptation. De notre maison en location, nous n'avions conservé que notre matelas et un clic-clac. Ils furent sacrifiés sans hésitation, pour en récupérer les mousses et en faire des coussins pour les bannettes[1], qui se doivent d'être confortables. Colin, lui, disposait de plusieurs espaces de repos car sa cabine était équipée d'une grande bannette, espace parfait pour jouer, et d'un hamac, idéal pour dormir bien calé à la gîte. Le scratch enfin, acheté au mètre chez un marchand de tissus pour quelques euros, se répandit sous notre nouveau toit. Il nous servit à fixer une panière en plastique sur le plan de travail, un « vide-poches » sur la table à cartes, les rideaux de Colin, ou encore les rangements de la salle d'eau. En navigation, chaque objet est potentiellement dangereux s'il n'est pas fixé. Tout doit être calé ou accroché pour ne pas se transformer en projectile. Heureusement, la pâte à coller, peu onéreuse et qui ne craint pas l'eau, nous rendit aussi de multiples services : fixer une assiette sur la table, un cendrier dans le cockpit ; maintenir l'ordinateur sur la table à cartes, même par forte gîte ; et bien sûr, à droite et à gauche, suspendre quelques décorations. Les équipets en contreplaqué

1. Couchage.

marine étaient d'origine, nous nous sommes contentés de les repeindre. Afin d'agrandir le carré, nous avons collé trois miroirs simples sur la paroi et il est devenu un jeu d'y faire des concours de grimaces... Quant à la table, le plateau se dédoublait, ce qui nous permettait de nous réunir à dix sans le moindre problème. Et à Colin d'avoir une grande table d'activité, sur laquelle je collai du Vénilia. Ainsi il pouvait exprimer ses talents artistiques sans contrainte d'espace ni de papier. Au sol, nous avons disposé dans le carré et dans le bas de la descente de simples tapis de salle de bain, antidérapants et colorés pour s'éviter les glissades intempestives en navigation. Une véritable maison, prête à naviguer.

La prudence doit être le guide de tout marin, que ce soit pour l'entretien du bateau ou pour les aménagements, car un détail, un objet mal rangé ou mal fixé, un bout usé, une poulie endommagée, toute autre erreur qui paraîtrait anodine dans une maison à terre, peut s'avérer très dangereuse en mer. Dans le même souci de prudence, Daniel et Marie, les anciens propriétaires, faisaient partie de ces marins qui conçoivent les équipements de leur bateau sur la base de la simplicité et de la solidité. Florent révisa tout de même la totalité de l'accastillage et du gréement, changeant ici ou là un bout, une poulie, un ridoir[1]. Il consolida le bout-dehors, améliora la fixation du panneau solaire... Les filières[2] étaient munies de filets

1. Dispositif mécanique permettant de raidir un cordage ou de fixer une manœuvre dormante.
2. Cordage tendu autour du pont.

et dataient de 1998 car les anciens propriétaires voyageaient déjà en famille. Elles étaient montées sur des chandeliers de 90 cm, ce qui était rassurant : Colin sut très tôt les limites de son terrain de jeu ; seuls l'avant et l'arrière, non protégés, lui étaient interdits. Aux 30 000 euros d'achat du bateau, il fallut finalement ajouter un peu plus de 10 000 euros pour que notre voilier soit fin prêt au départ. Nous avons pu étaler ces dépenses sur deux années : l'année où *Tanit* était à terre, et celle où nous avons vécu à bord dans le golfe du Morbihan.

Le 14 juin 2007 enfin, nous avons remis *Tanit* à l'eau, toute fringante, et y avons emménagé le jour même. Nous laissions du même coup notre maison et organisions, pour solder notre vie à terre, une grande brocante dans le jardin. Nous nous sommes ainsi séparés de tout ce que nous n'emporterions pas sur le voilier. Le soir, *Tanit* nous accueillait chargés seulement de quelques cartons. Nous avions confié Colin à ma mère, pour passer cette nuit en amoureux et tout installer avant de l'accueillir dans sa nouvelle maison, le lendemain.

BIEN SÛR nous avons beaucoup travaillé durant tous ces mois, mais nous avons aussi été grandement aidés par notre famille et nos amis. Nous devions penser à gagner de l'argent, mais Florent avait aussi besoin de temps pour préparer le bateau, et pour s'occuper de Colin puisque je travaillais sept jours sur sept. Il se partageait entre *Tanit*, son fils et son boulot. Parents et grand-mères nous ont apporté, en plus de leur soutien moral, une aide financière, ravis de contribuer à la concrétisation de nos rêves ; nous avons pu aussi compter sur Agathe, Jérôme et les amis pour le moindre coup de main. Les solutions de mouillage étaient aussi compliquées que l'année précédente, le port de Vannes étant bien trop cher en été. Mais cette fois, nous devions prendre en compte le quotidien puisque nous vivions à bord.

Nos premières semaines sur le voilier furent assez difficiles à cause de la météo, qui se montrait capricieuse. Nous avions acheté une deuxième annexe que nous revendrions plus tard, car je devais quitter le bateau à 6 h 00 du matin pour me rendre sur les marchés. Or, il était impensable de laisser Colin seul à bord, même le temps d'un aller-retour, pour me déposer. Au début, nous mouillions dans la rivière de Noyalo, puis à Berder, ce qui nécessitait toute une organisation. Une fois à terre, souvent trempée, parfois vaseuse, je devais encore chevaucher mon vélo pour aller chercher mon camion et la marchandise que j'entreposais chez une amie. Florent consacrait donc ses matinées à Colin et, quand il ne le laissait pas chez les mamies, ils partaient ensemble en vadrouille avec la *Ti'Tanit*, notre annexe ou s'adonnaient à divers bricolages sur le bateau. Florent découvrait un nouveau plaisir, celui de transmettre ses connaissances à son fils.

Au mois de septembre 2007, le mauvais temps approchant, nous nous sommes installés au ponton visiteur, dans le port de Vannes, pour y passer l'hiver. Il n'était pas envisageable de vivre au mouillage toute la saison avec un jeune enfant ; l'humidité, le froid, l'insécurité des trajets en annexe nous en avaient fait refuser l'éventualité. D'autant que Colin allait à la maternelle, que Florent avait encore beaucoup à faire avant le départ et que je travaillais maintenant toute la journée, ayant ouvert une petite boutique de vente de Crocs.

Un chantier est toujours difficile pour un couple, et *Tanit* était celui de notre vie. Nous pensions avoir le temps devant nous et posions nos briques une à une, comme nous l'aurions probablement fait en bâtissant une maison à la campagne. De ces mois à bord, je garde tout de même un souvenir intense et doux, car nous courions vers une liberté qui nous excitait terriblement. Lorsque nous émettions l'idée de rester un hiver supplémentaire en Bretagne pour alourdir la caisse de bord, notre lassitude et notre besoin de grand large en chassaient aussitôt l'hypothèse. Nous passions des heures à discuter, à rêver dans le carré, bien à l'abri, pendant nos longues et froides soirées bretonnes. Pour autant nos derniers mois en ville furent agréables ; nous pouvions profiter encore des amis même si nous avions peu de temps libre : Florent, en plus de toutes les responsabilités qui lui incombaient déjà, ouvrait la boutique pour moi les matins où j'étais au marché. Le soir, *Tanit* était toujours ouverte aux proches, et Florent souvent en cuisine, enchanté de partager ses petits plats.

Nous devions jouer la carte de la débrouille pour la constitution des vivres nécessaires au voyage car nous voulions partir avec un an d'autonomie en produits d'épicerie (conserves, riz, pâtes, farine, compotes...). J'eus envie d'essayer la technique de Moitessier et Wakelam qui, à l'époque, avaient contacté toutes les entreprises d'agroalimentaire de la région de Capetown afin de récupérer à moindre coût des conserves endommagées et invendables. J'écrivis ainsi des dizaines de lettres à de nombreuses usines de la région, les informant de notre projet et leur demandant si nous pouvions bénéficier de réductions sur des articles abîmés. La première réponse fut la seule favorable ; le patron d'une entreprise spécialisée en jus de fruits nous offrait 200 litres de jus variés à venir chercher à l'entrepôt ; tant de gentillesse nous toucha beaucoup.

C'est à ce moment que nous avons décidé d'ouvrir un blog[1] et pris l'habitude de parler de la Tanit Family. L'envie de raconter notre projet sur la toile était venue des conversations avec nos amis, c'était l'occasion d'exposer notre point de vue et d'expliquer notre désir de voyage sur les océans. En plus d'éclairer nos proches sur nos intentions, il nous permettrait de tenir un livre de bord consultable par tous, et de décrire aux petits cousins la nouvelle vie de Colin. Enfin, Florent et moi aimions passer des heures à consulter des blogs de voyageurs qui s'avéraient une source d'information non négligeable et nous voulions, à notre tour, partager nos expériences. Il nous importait également que Colin maintienne un lien avec l'école en France et puisse faire partager ses rencontres. Je commençai donc à mettre en place des correspondances avec des classes de primaire.

Au printemps, lorsque les prix du port se remirent à grimper, nous retournâmes à notre mouillage de Berder, pour quelques semaines avant le départ. Florent consacra tout son temps libre aux ultimes

1. tanit-overblog.fr

vérifications, si bien qu'il finit par connaître sur le bout des ongles chaque centimètre carré de *Tanit*. Rien ne lui échappait plus. Il se plongeait, encore et encore, dans les guides nautiques, les blogs d'aventuriers, et puis, bien sûr, les grands livres des navigateurs... De mon côté je me chargeais de la paperasse, des courses et des médicaments, bref, de tout ce dont nous aurions besoin pour que Colin s'occupe, apprenne, et soit en sécurité. Nous avions prévu de naviguer plusieurs années, j'envisageais donc de faire l'école à Colin par moi-même. Il entrait en PS2 (deuxième année de maternelle) et j'avais du temps avant de penser au Cned[1]. Pour l'heure, j'avais acheté des cahiers d'exercices parascolaires et nous nous en inspirions pour les activités. La seule chose dont nous ne voulions pas le priver en le déscolarisant était la sociabilité, mais nous envisagions pour cela de l'inscrire à l'école lors des longues escales africaines.

FLORENT, parmi tant d'autres choses, accorda une vigilance toute particulière à notre survie. Il paraît insensé de s'embarquer dans un si beau voyage et de penser au pire, mais tout marin trouverait déraisonnable de lever l'ancre sans avoir vécu un naufrage plusieurs fois dans sa tête. À force de lectures, Florent acquit la certitude que la durée de survie d'un naufragé dépend souvent de ses capacités mentales et de son sang-froid. Or, les sauvetages qu'il avait effectués en kayak lui avaient montré qu'il était capable de gérer une situation catastrophique sans perdre pied. Mais la

1. Centre national d'éducation à distance.

survie sur un voilier de grande croisière se prépare aussi matériellement. Il faut s'équiper d'un canot de survie, ce petit bateau auto gonflable, rangé dans un sac sur le pont, que l'on jette à la mer en cas de naufrage et où l'on se réfugie. Il existe aussi, à prix d'or, des sacs de survie vendus chez les shipchandlers[1] qui contiennent des barres énergétiques, de l'eau, des feux à mains[2], une trousse de premiers secours et parfois du petit matériel de pêche. Toutefois la solution la plus sûre reste de composer soi-même son équipement de survie et de le stocker dans des bidons étanches.

En plusieurs mois de préparation, Florent avait longuement étudié le contenu de sa survie idéale. Il avait prévu, en plus du kit obligatoire, des médicaments, un miroir, une lampe de poche, des lunettes de soleil, des chapeaux, de la crème solaire, un livre, des crayons et du papier, des allumettes, un GPS, un matelas gonflable, un bon équipement de pêche, et enfin des sacs poubelles où enfermer nos déchets avant de les jeter à la mer. Ils nous éviteraient la compagnie des requins.

La survie était attachée au pied de mât et Florent avait fixé un couteau sur le sac. Ce couteau devait nous servir à rompre rapidement les garcettes[3] qui tenaient les nombreux bidons d'eau entreposés sur le pont afin de les jeter, eux aussi à la mer. Il y avait cinq bidons de 10 litres et cinq de 20 litres, qui ser-

1. Marchand d'articles de marine.
2. Feux de détresses à main que l'on active pour être repéré en mer par d'éventuels sauveteurs.
3. Petits bouts.

vaient aussi de réserve pour les grandes traversées – mais nous ne les remplissions jamais complètement, pour garantir leur flottabilité. Les bidons de survie étaient également fixés près du canot de sauvetage, et nous pensions, si le cas devait se présenter, mettre *Ti'Tanit* à l'eau.

Florent et moi avions longuement discuté de la marche à suivre en cas de problème. Lui irait sur le pont et s'emploierait à larguer à la mer tout le nécessaire tandis que je m'occuperais de Colin, lui enfilerais son gilet de sauvetage et remplirais les sacs étanches, rangés en bas de la descente, de tout le matériel utile et de toute la nourriture qui me tomberaient sous la main. Nous étions si bien préparés et j'avais une telle confiance en Florent que je n'appréhendais pas même le naufrage.

À la veille de notre départ, je réalisai que mon mari avait profondément changé depuis notre rencontre. Sitôt qu'il avait pris la barre de *Tanit* pour la première fois, il en était devenu le Capitaine. Cette responsabilité se lisait dans ses yeux, mais aussi dans son assurance à bord. J'étais admirative de mon Homme. Je le trouvais magnifique.

Nous avions choisi d'aller dans l'océan Indien, car nous pensions trouver là-bas de nombreuses opportunités d'escales, et peut-être de travail – notre caisse de bord exigerait forcément un réapprovisionnement. Surtout, Florent en était tombé sous le charme lors d'un voyage à Mayotte en 2001 où il avait rejoint Hervé, son ancien baby-sitter. Mayotte, donc, nous parut une belle première destination. Puis ce serait Zanzibar, Madagascar... Nous ne voulions pas voir trop loin ou trop précisément : une fois dans l'océan Indien, il nous faudrait choisir les escales en fonction des saisons cycloniques. Nous nous laissions une année pour arriver à notre point de chute, ce qui laissait envisager des escales nombreuses. Nous ne resterions pas trop longtemps à Mayotte car il est impossible d'y vivre sur son bateau et de travailler sans payer d'importants frais de douane. Mais nous voulions voguer sur cet océan jusqu'à ce que notre cœur et nos yeux aient envie d'horizons nouveaux. De là, le monde nous était ouvert : l'Afrique, l'Atlantique, l'Amérique et pourquoi pas le Pacifique ? Nous nous devions d'être à la hauteur de notre folie.

LE SOUCI de protéger notre environnement n'était pas né avec *Tanit* ; depuis longtemps nous étions attentifs aux traces que nous laissions sur la planète, traces que nous essayions de réduire au maximum. Il fut donc évident que notre voyage se ferait au plus proche de la nature, c'est-à-dire en la respectant. La pollution des océans est peut-être la moins visible, mais elle n'est pas la plus négligeable. Elle laisse de nombreuses souillures sur les côtes et met en péril la survie des espèces. Notre raisonnement était simple : en bateau, l'océan est votre jardin ; qui ne respecterait pas son propre jardin ? Bien sûr, comme tout un chacun, nous avions nos défaillances, mais nous nous efforcerions de faire basculer la balance du bon côté.

Notre préoccupation première venait du vieux moteur, dit « Totor ». Si fous que nous étions, nous ne pouvions nous permettre de partir sans moteur et en changer était financièrement impossible... Bien sûr *Tanit* est un bateau à voiles, mais on ne maîtrise pas la météo et il est impensable, par exemple, de longer certaines côtes ou de traverser un détroit comme celui de Gibraltar sans manœuvrabilité. Pour les équipements du bord, essentiellement liés à la navigation, l'énergie fournie par l'éolienne et le panneau solaire devait suffire. Et comme nous avions peu d'appareils électroniques ou électriques, pas de radar ou de pilote automatique, encore moins de micro-ondes ou de machine à laver, cela limitait le besoin de faire tourner le moteur uniquement pour recharger les batteries. La seule concession fut le téléphone satellite Thuraya que Francis offrit à Colin ; ainsi il pourrait raconter son voyage à ses grands-parents et nous disposerions, par la même occasion, d'un élément de sécurité supplémentaire. Notre annexe, en revanche, avançait à la force des bras ou du vent, ce qui nous permettait de ne pas utiliser systématiquement son moteur. L'annexe à voile était en effet idéale pour ne pas perturber la tranquillité de nos escales.

De notre alimentation aux produits destinés à notre toilette ou à l'entretien du bateau, tout ce qui serait amené à quitter *Tanit* pour l'océan ne devait pas lui être dommageable. Pour la lessive, je continuerais à utiliser les noix de lavage, avec une lessive liquide 100 % biodégradable en appoint. Le linge se lave très bien en navigation, dans un filet que l'on laisse traîner derrière le bateau. Hors produits frais, nous partirions avec une année de vivres : 200 kg de nourriture dans les cales. Le tri des déchets allait de soi, tant que les escales le permettraient ; rien ou presque n'irait à la mer, d'autant que la place et le poids n'étaient pas un problème sur *Tanit*, et que nos navigations excéderaient rarement quinze jours. La pharmacie du quotidien serait elle aussi essentiellement naturelle. Je comptais sur de nombreux ouvrages de médecine douce (comme l'homéopathie), avec une prédilection pour les huiles essentielles, indispensables dans un projet comme le nôtre. Du traitement d'une grosse plaie à celui du mal de mer, elles s'avèrent très efficaces. Cependant, nous disposions aussi d'une réserve presque démesurée de médicaments et d'ouvrages permettant de soigner les atteintes les plus graves : plaie, œdème de Quincke, convulsions... Dans ces cas, mieux vaut trop anticiper que le contraire.

La dernière question qui se posait à nous concernait la piraterie en Somalie. Depuis cinq années que Florent s'intéressait au problème, les attaques n'avaient cessé de se multiplier. De 50 milles des côtes au départ, nous étions passés à une distance conseillée de 300 milles. Florent ne souhaitait pas participer au contrôle naval volontaire (CNV) mis en place par les autorités françaises dans le cadre de la surveillance de la région car il savait qu'il n'était pas destiné à protéger les voyageurs comme nous et que mieux valait éviter au maximum les échanges de communication. En effet, certains disaient déjà que les pirates étaient de mieux en mieux équipés et possédaient des AIS[1] qui leur permettaient de choisir leurs cibles ; d'autres pensaient qu'ils avaient des informateurs au fait du trafic dans la zone.

---

1. Système d'identification automatique.

En outre, il y avait eu la prise d'otages du *Ponant*, le 4 avril 2008, mais le caractère luxueux de ce bateau mesurant presque 90 mètres ne nous engageait pas à croire à une attaque improvisée. D'autant que le voilier commercial de la compagnie CMA-CGM naviguait à 80 milles des côtes somaliennes, soit à mi-distance entre la Somalie et le Yémen, à l'entrée du golfe d'Aden – le corridor de sécurité n'étant pas encore en place à l'époque.

Nous ne nous sentions pas davantage concernés par l'assaut mené à terre : un gros armateur français était dans l'histoire, des millions d'euros étaient en jeu... La CMA-CGM avait accepté de payer la rançon demandée de 2 millions de dollars. Sur place les hommes de la DGSE[1] et les commandos marine travaillèrent de concert afin d'assurer l'échange de l'argent contre les otages. Le 11 avril, quelques minutes après le versement de la rançon, les commandos appréhendaient une partie des pirates à terre grâce à une opération héliportée. Les otages furent libérés, une partie de la rançon récupérée et six pirates arrêtés. Quoi qu'il en soit, en comparaison du *Ponant*, *Tanit* constituait une maigre cible.

Puis le jour vint où il fut temps de partir, pour de bon. Il y eut d'ultimes allers-retours à bord, la famille, les amis qui vinrent une dernière fois nous embrasser. Pour cette première partie du voyage, nous embarquions deux équipiers, deux amis. Julie venait passer quinze jours de « vacances » avec nous

---

1. Direction générale de la sécurité extérieure.

(nous la laisserions au Portugal), tandis que Steven serait notre équipier jusqu'à la mi-septembre.

Le samedi 26 juillet 2008 à 14 h 00, comme prévu, Florent rassemblait l'équipage au pied du mât et donnait les dernières instructions en cas de naufrage, distribuant concrètement un rôle à chacun. Quelques instants plus tard, nous levions l'ancre de notre agréable mouillage de Berder. Nos proches nous saluaient depuis la côte ; mes parents et ceux de Julie nous accompagnaient, à la voile ou au moteur, sur diverses embarcations ; Jérôme, Agathe et les enfants quant à eux nous faisaient de grands signes depuis la plage. Nous sortîmes du Golfe avec la marée descendante, le courant poussant *Tanit* vers l'océan. Francis et des amis nous guettaient depuis Port-Navalo, les copains nous montraient une dernière fois leurs fesses tandis que trois anciennes collègues du marché rejoignaient le groupe sur un bateau à moteur ; un autre ami nous suivait sur un voilier des Glénans. Faute de nous rattraper, ce dernier nous accompagna à la corne de brume. Au milieu du joyeux désordre, *Tanit* filait fièrement vers le large, et il était hors de question de ralentir l'allure. Ma mère nous laissa à Houat, tandis qu'un ami nous attendait encore devant la grande plage de l'île. Nous étions même presque impatients d'être seuls et quand on a mis le cap au Sud, direction le large, l'horizon, alors le voyage débuta vraiment.

C'était notre première traversée du golfe de Gascogne. Véritable échantillon de tout ce que nous allions connaître par la suite (pétole[1], tempête, casse...) et allait donner le ton du Voyage de *Tanit*.

Les premières vingt-quatre heures qui nous conduisirent, sous un bon vent portant, au large de l'île d'Yeu, Colin ne mit pas le nez dehors. Seule la visite soudaine d'un groupe de dauphins nageant le long de la coque l'incita à sortir sur le pont, le dimanche. En cet après-midi-là, le vent était tombé, le ciel se montrait sous son plus beau bleu, la mer était d'huile et nous nous trouvions contraints de savourer notre première pétole aux côtés des meilleurs compagnons des marins, les dauphins. L'instant, magique, fit pétiller les yeux de Florent, qui brûlait de partager cet instant de bonheur avec son fils. Tous, nous nous éveillions à une nouvelle vie. Colin réagissait bien, il prenait son rythme, doucement, s'épargnant les efforts inutiles, économisant son énergie. Instinctivement, il était en train d'adopter le bon comportement marin.

Le lundi, nous décidâmes de mettre notre ligne de traîne à l'eau et pêchâmes notre premier poisson. Fièrement, le Capitaine Florent, tout mouillé par la pluie, posa pour la photo tandis que le vent et la mer commençaient à se lever, et que les estomacs de l'équipage balançaient dangereusement. Chacun prit donc ses aises pour passer au mieux la tempête : Steven préféra rester sur le pont ; Julie et Colin ne quittèrent plus leur bannette : Julie par peur de vomir, et Colin par prudence ! Installée à l'intérieur, je ne pouvais m'empêcher de penser au thon qui m'attendait sur le pont. Hors de question d'abandonner

1. Pas de vent du tout, calme plat

ainsi notre première pêche : je pris mon courage à deux mains et me mis en tête de le préparer. Sous une pluie battante et le regard stupéfait de Julie, je sortis vaillamment avec un couteau et un plat. Quelques minutes plus tard, je redescendais à l'intérieur du bateau, le saladier rempli de belles darnes de thon. Cependant ma tâche ne s'arrêtait pas là : nous n'avions pas de frigidaire, il fallait donc cuisiner la bête pour le déjeuner. L'heure du repas vint sur une mer de plus en plus houleuse. Nous nous installâmes à l'air libre, dans le cockpit, pour manger. Florent, pas malade pour un sou, se régala ; Steven et Julie renvoyèrent le thon à l'océan. Un peu barbouillée par ma séance de cuisine acrobatique, je ne m'y risquai pas et me contentai du riz !

L'après-midi et la nuit qui suivirent furent vécus bien différemment selon les équipiers. Colin n'était absolument pas malade, ni apeuré, mais il quitta peu sa cabine. Il ne broncha même pas lorsqu'une vague passa par-dessus bord et profita d'une faille d'étanchéité du hublot pour venir le tremper dans le lit. Julie ne se levait que pour vomir et m'avoua, plus tard, n'avoir cessé de ressasser les indications données par Florent en cas de naufrage. Steven assurait ses quarts en les ponctuant de pauses, le temps de vomir. Florent tenait à merveille son rôle de Capitaine tandis que je découvrais la liberté et la joie de manœuvrer *Tanit* au milieu de la tempête. Ce premier coup de vent fut aussi l'occasion de constater que tout n'était pas encore bien calé et Julie en fit les frais lorsque plusieurs livres vinrent s'écraser sur sa bannette.

Le mardi, le vent était tombé, mais la houle était encore bien présente quand on se rendit compte que l'on avait perdu la pale immergée du régulateur d'allure[1]. Cela signifiait que nous devrions barrer jusqu'à la prochaine escale et, surtout, qu'il faudrait trouver une solution pour remplacer cette pièce indispensable. Vu le contexte météorologique, nous décidâmes de faire route sur Gijón plutôt que La Corogne, le vent étant plus favorable pour tenir le cap vers l'Asturie. Accompagnée d'une grande houle sur une mer calme, *Tanit* fit son entrée dans le port après quatre-vingts heures de mer, et bien des émotions. Deux jours de repos mérités plus tard, nous quittions à nouveau les pontons visiteurs de Gijón pour avancer vers notre objectif initial. Dans la baie d'Avilès, à une heure de Cudillero, petit port sans doute charmant, nous fûmes surpris par un vent d'Ouest soufflant jusqu'à 40 nœuds[2] en rafales. Nous fîmes demi-tour sans demander notre reste malgré notre étonnement : la météo indiquait toujours des vents à 10 nœuds dans la baie de Gijón. Nous filâmes donc nous mettre à l'abri à Luanco. Ce n'est que plus tard, dans un vieux guide nautique de la région, que nous devions mettre la main sur une explication : les vents violents sont un phénomène courant derrière le cap Peñas, qui peut durer trois heures et même trois jours... Nous avions eu raison d'être sages et de nous éloigner. En mer, il faut être toujours prêt à revoir son

1. Sur un voilier, l'allure désigne la direction d'où provient le vent. Elle joue un rôle important dans la marche du bateau, sa vitesse en dépendant en partie.
2. 1 nœud = 1,85 km/h.

emploi du temps, et ne pas craindre des retards. Céder à la précipitation n'apporte rien de bon ; le marin doit rester calme et avisé pour envisager au mieux son programme à court terme. Pour Colin, l'escale dans ce petit port de pêche fut l'occasion de rencontres avec des enfants, premiers échanges, premiers jeux.

Sans régulateur, et avec un moteur capricieux qui en faisait déjà baver au Capitaine, nous fîmes quelques sauts de puce avant d'arriver à Marina Sada, dans la ria d'Ares, où nous devions recevoir une nouvelle pale, fabriquée sur mesure par Jérôme. Comme nous étions déjà bien en retard sur notre programme, il nous fallut laisser Julie en Galice. Ses vacances, plus enrichissantes psychologiquement que reposantes, s'arrêtaient là. Mais pour elle qui terminait ses études de psychiatrie, l'expérience fut intéressante.

Lorsque nous avons résolu ce problème technique, nous étions si heureux que, le 14 août, nous avons pris la mer en débutants, oubliant de manger avant de larguer les amarres ! Rien de tel pour être malade. Nous pensions remplir nos estomacs dès que nous aurions quitté la ria, seulement, à la sortie, le vent soufflait plus fort que prévu, et une forte houle déferlait dangereusement sur les rochers... Les soubresauts de *Tanit* étaient si vigoureux qu'ils réussirent à faire sortir Colin de sa bannette, et ce malgré la toile anti-roulis. Heureusement, les coussins le suivirent dans sa chute et l'amortirent. À aller, venir, pour m'occuper de lui, je payai mon ventre vide et, sans avoir eu le temps de monter sur le pont, baptisai l'évier de mon premier vomi. Florent, lui, tenait la barre, les yeux à tribord, surveillant la houle, éreinté et surtout agacé par la tournure que prenait notre sortie en mer. Steven, impassible, attendait son quart à l'air libre. Nous devions faire preuve de patience, et considérer avec philosophie les retards qui s'accumulaient sur notre « planning » d'origine ; surtout nous n'avions pas envie de commencer la navigation par une nuit difficile. Ainsi, nous décidâmes de stopper à La Corogne le soir même.

Les retards présentent toutefois des avantages : ils sont l'occasion d'escapades et de rencontres imprévues. En accostant, nous eûmes la surprise d'être accueillis par l'équipage d'un bateau que nous connaissions déjà puisqu'il avait été notre voisin dans le port de Vannes. Ce couple, accompagné d'un enfant de 5 ans, avait largué les amarres pour une année sabbatique en Atlantique. Comme nous, ils voulaient passer le cap Finisterre, mais la météo les avait poussés à faire demi-tour après une journée de navigation. Décidément, nous avions bien fait de ne pas nous entêter. Et puis à cet endroit brille le plus vieux phare du monde encore en fonctionnement, la Tour d'Hercule. Ainsi les escales sont toujours riches, même lorsqu'elles sont imposées.

Si nous étions d'abord convenus de déposer Steven en Crète, le projet se trouvait chaque jour plus compromis, sachant qu'il devait être rentré en France le 15 septembre. Peu importe, nous continuions à improviser selon la météo et les envies. Nous quittâmes La Corogne le 19, décidés à faire une pause sur l'île d'Ons avant de rejoindre Lisbonne. Les îles Cíes sont célèbres pour leurs faux airs antillais et nous offrirent en effet notre première plage aux reflets turquoise. Sûrement pas assez fatigués, et surtout très curieux, nous décidâmes de mettre *Ti'Tanit* à l'eau pour aller faire un tour au village. Après quelques kilomètres à pied, nous étions ravis de retrouver l'ambiance estivale de nos îles bretonnes.

Au départ d'Ons, pétole et brume furent suivies d'un joli grain. Rien de bien original dans notre périple. Seul le mercredi matin vint nous éclairer d'une lueur nouvelle : le vent du Nord nous fit enfin ses faveurs. Comme il était accompagné d'une mer de plus en plus agitée, la navigation était peu confortable, mais *Tanit* filait fièrement ses 7 nœuds de moyenne, faisant même une pointe à 8 nœuds ! La journée et la nuit s'écoulèrent à cette allure, nécessitant une vigilance accrue car nous étions près du rail de navigation des cargos. Les quarts, exceptionnellement, s'opéraient donc à deux. Cette nuit-là fut illuminée par de nombreux navires « cathédrales », ces bâtiments qui éclairent démesurément leur pont, si bien que les petits voiliers comme le nôtre distinguent à grand-peine leurs feux de route[1]. En mouillant, le 22 août, dans la baie de Cascais, près de Lisbonne, nous étions rincés, aux deux sens du terme, et affamés. Et encore la faim passait-elle au second plan, après la douche et le sommeil.

Les vents annoncés nous obligèrent à demeurer une semaine dans cette baie, l'occasion de nouvelles rencontres pour Colin et d'une visite de Lisbonne. À chaque escale, je cherchais les parcs de jeux et me renseignais sur les horaires où ils étaient le plus fréquentés. Ainsi je savais que Colin y croiserait des compagnons de loisir.

1. Feux, rouge à bâbord, vert à tribord, qui permettent de connaître la direction d'un bateau la nuit.

Lorsque nous quittâmes Cascais le 27, direction le cap Saint Vincent, ce fut pour reprendre une navigation de quelques heures au moteur avant qu'un léger vent de Nord-Ouest ne se lève et nous permette, pour la première fois, de hisser notre génois[1] « Yes for Peace ». Cette voile était déjà sur *Tanit*, elle était usée et ne pouvait pas être utilisée par gros temps, mais son histoire nous plaisait. C'était Joshua, le fils des anciens propriétaires, Daniel et Marie, qui y avait écrit, à la peinture, les inscriptions suivantes : « Yes for Peace » d'un côté et « Non à la guerre » de l'autre.

Toutes voiles dehors, donc, nous pensions à notre arrivée au Cap, dont on nous avait dit qu'il était, du fait de sa hauteur, visible de très loin et majestueux. Selon les pilotes de la région, il ne se trouvait que « très exceptionnellement dans la brume ». Quand nous en avons approché, une « purée de pois » nous enveloppait complètement, notre visibilité se limitant à 30 mètres. J'étais de quart[2] lorsqu'un voilier, surgi tout droit du brouillard, tel un fantôme, me fit une grosse frayeur. Le Mer-Veille[3] m'indiquait bien une présence, or il arriva si vite que j'eus à peine le temps de dévier ma route et de faire un salut au barreur d'en face.

Nous aurions voulu filer directement sur Cádiz, cependant le vent n'était pas décidé à se lever et nous préférions faire escale que d'avancer au moteur. Steven était venu pour nous aider dans le gros temps

---

1. Voile d'avant.
2. Un quart dure deux heures.
3. Détecteur de radar.

et ne manquait pas à sa mission, mais nous lui avions moins parlé des jours sans vent !

La mer ne redevint belle qu'au départ de Baleeira, le 29 août, nous faisant profiter d'une vraie chaleur et, surtout, d'une navigation plus sereine. La météo était parfaite pour continuer sur Gibraltar, malheureusement les cuves se déclarèrent vides entraînant un arrêt forcé, à Puerto Sherry.

Les escales inopinées donnent lieu à de petits miracles – l'île d'Ons – ainsi qu'à de drôles de découvertes. Puerto Sherry avait été conçu autrefois comme une zone résidentielle privée, mais le « concept » n'avait visiblement pas connu le succès escompté auprès des acheteurs. La marina était abritée au cœur d'un étrange décor : un quartier à moitié mort, d'où surgissaient des tours en construction, des immeubles vides ou abandonnés. Quelques jours plus tard, nous ne fûmes pas fâchés de quitter ce port singulier, malgré une superbe journée passée à Cádiz, pour nous diriger résolument vers le détroit de Gibraltar.

Au beau milieu de la nuit, nous pouvions déjà distinguer les lueurs du Maroc. Cependant les quarts s'étiraient car l'intense circulation maritime de l'endroit exigeait une veille assidue. Quand je pris le mien à l'aube, le détroit de Gibraltar brillait des lumières de l'Andalousie et du Maroc et pour la première fois Colin vint profiter du lever de soleil : un monstre l'avait réveillé, m'avait-il assuré... Je profitai de cette première visite au petit matin (qui serait suivie de nombreuses autres) pour observer mon fils qui découvrait la joie de regarder le jour se lever et le paysage défiler au son unique de notre « maison » filant sur l'eau. Je pensai aussi à la discussion que j'avais eue avec un marin espagnol sur un ponton de Puerto Sherry. Il m'avait avertie que la navigation dans le détroit de Gibraltar était extrêmement dangereuse et paraissait étonné que nous décidions d'y passer. Les dangers sont partout quand on longe les côtes, pour être prudent, il faudrait être toujours en pleine mer : c'est moins périlleux, mais malheureusement impossible. Quoi qu'il en soit, notre passage se déroula sans encombre : le 3 septembre, à 8 h 00, le vent et le courant nous portaient à 7-8 nœuds dans le détroit ; à 13 h 00, le célèbre Rocher était derrière nous ; à 16 h 00, nouveau record battu pour *Tanit*, nous doublions un autre voilier ! Jusqu'au 7 septembre, notre bateau fila le long des côtes andalouses sous grand-voile arisée[1] et trinquette[2]. Mais lorsque la pétole revint et qu'il fallut rallumer le moteur, le Capitaine, dépité, écrivit dans son journal de bord : « Encore le moteur... J'ai envie de m'arrêter à Ibiza, ou plus exactement à Formentera pour boire de la bière, profiter du farniente sur la plage et dormir dans mon hamac. » Alors nous fîmes escale dans ce dernier paradis de Méditerranée, et y avons laissé Steven de peur de ne pouvoir l'amener plus loin dans les temps. Colin se baignait pour la première fois de *Tanit*, et nous profitions de ces eaux aussi turquoise que chaudes. Quant à Florent, il profita bien plus de son hamac et des jeux sur la plage avec son fils que des bières fraîches. En effet, l'île est magnifique

1. Diminuée.
2. Petite voile d'avant utilisée quand il y a beaucoup de vent.

mais les yachts de quarante mètres et plus, dont les annexes ont à elles seules la taille de notre bateau, sont un peu trop nombreux à notre goût et expliquent certainement les tarifs prohibitifs du bar de la plage. Une fois encore, cette escale imprévue nous apporta ses surprises : Formentera a été phénicienne et la déesse Tanit en est un des symboles !

LE VÉRITABLE VOYAGE en famille débuta le 11 septembre à 17 h 00. Depuis un mois et demi déjà, nous avions quitté le Golfe, cohabitant à cinq, puis à quatre sur notre voilier. Si l'idée de laisser Steven nous fit un petit pincement au cœur, ce fut aussi l'occasion pour nous trois de nous retrouver seuls, agréablement poussés par des vents de Sud-Ouest. La nuit du 12 au 13 signa cependant la fin des réjouissances. Le vent annoncé au Nord-Ouest avait finalement tourné au Nord-Est et notre routeur préféré, Francis, nous promit un coup de vent sur la zone Baléares, et une jolie houle en perspective. Nous entreprîmes de descendre donc plus au Sud, avec pour horizon des nuits bien moins agréables que celles que nous venions de vivre... De fait, la nuit suivante se révéla particulièrement orageuse. Les éclairs sont éblouissants de beauté dans un ciel de pleine lune, lorsque avec fulgurance ils illuminent le lointain... Florent et moi gardions, après coup, des souvenirs magiques de ce premier orage nocturne. Mais quand, ce soir-là, nous nous retrouvâmes au cœur de la fête, directement menacés par les éclairs qui venaient fendre la mer autour de nous et tombaient toujours plus près, quand des pointes à 40 nœuds accompagnèrent le grain, alors notre extase s'évanouit et la situation prit des allures légèrement angoissantes. L'encerclement dura quatre heures. Florent et moi restâmes éveillés ensemble, mais Colin passa une nuit presque normale, ne se souciant guère des aléas extérieurs. Je n'aurais jamais cru que la tourmente puisse durer si longtemps, d'autant que les trois nuits suivantes ne nous laissèrent pas plus de répit : peu de vent, beaucoup de houle venant du Nord et un roulis permanent plutôt désagréable. Nous approchions des côtes algériennes et nous trouvions de ce fait sur la route des gros cargos qui traversent la Méditerranée. Après quatre nuits d'un sommeil léger, nous étions paradoxalement sommés d'être de plus en plus attentifs.

Le 15 septembre au soir, il fut temps de songer à faire une escale à Tabarka, en Tunisie, où nous restâmes quelques jours pour nous reposer. C'était notre premier arrêt hors d'Europe, il fallut donc hisser le pavillon jaune et s'occuper des formalités de douane. Si les douaniers furent étonnés de voir une petite blonde dans leurs bureaux à minuit, je fus moi-même agréablement surprise de leur accueil chaleureux. Après une heure de palabres, nos passeports étaient passés dans toutes les mains, on m'avait offert coca et cigarettes et je partais rejoindre mes hommes à bord. Nous nous promenions des heures durant dans les rues du village, cherchant à nous imprégner de l'ambiance nord-africaine si reposante après un trop-plein d'Europe. Ce fut aussi l'occasion de visiter les ruines romaines de Bulla Regia, à une heure de route. Qu'il était agréable de contempler les vallées verdoyantes après le bleu de l'horizon ! Nous apprîmes que la ville s'était trouvée sous l'influence de Carthage avant d'être investie par les Romains en 203 avant J.-C. Ainsi Colin, petit bonhomme d'à peine trois ans, percevait l'histoire d'une ville vieille de plusieurs millénaires et la coïncidence voulait que cette cité abrite un temple dédié à la déesse Tanit.

Nous profitions des escales pour téléphoner plus longuement à nos familles. Notre téléphone satellite, d'usage onéreux, était plutôt dévolu à la météo en mer. À Tabarka, nos parents nous annoncèrent que le *Carré d'As*, un voilier avec deux Français à son bord, avait été capturé par des pirates dans le golfe d'Aden. Une fois de plus nous parlions des risques à venir, tentant de démêler les informations obtenues et de nous faire notre propre jugement. Apparemment, le voilier avait été intercepté près des côtes somaliennes, alors que les consignes de sécurité données par Alindien[1] indiquaient déjà de passer au nord du corridor de sécurité, le long des côtes yéménites. N'ayant pas prévu de suivre la route du *Carré d'As*, nous pûmes rassurer nos familles.

Lorsque nous repartîmes, le 20 septembre, à peine avions-nous quitté le port que le vent fit des pirouettes pour s'établir au Nord-Est, autrement dit face à *Tanit*. Nous avions décalé notre départ d'une journée car la radio tunisienne avait diffusé un BMS[2] annonçant un fort coup de vent : aucun pêcheur n'était sorti. Il est souvent de bon augure d'écouter les marins de la région avant de partir en mer, mais les bateaux de

1. Alindien désigne les forces maritimes de l'océan Indien.
2. Bulletin météorologique spécial.

pêche là-bas sont si anciens et rudimentaires que peu de vent suffit à les faire rester au port. Nous avions voulu être prudents et nous en fîmes les frais ; le lendemain, après avoir sollicité « Totor » tant et plus, nous étions bons pour un arrêt gasoil à Bizerte. Nous nous étions déjà acquittés des formalités administratives régissant la sortie du territoire tunisien à Tabarka, aussi le chef de la police de Bizerte n'apprécia guère notre visite. Il y trouva pourtant une occasion de doubler sa paie du jour... Tandis que *Tanit* venait de battre un nouveau record, de lenteur, 70 milles en 18 h 00 !

Le 23 septembre à 9 h 00, nous longions enfin la côte Sud de Lampedusa après trois jours de farniente à bord. Si l'usage du moteur nous obligeait à nous relayer à la barre, le calme plat sur lequel nous voguions nous permettait toutes sortes d'activités : cuisine, observation des oiseaux, baignade dans la petite piscine gonflable sur le pont, lecture... Colin dormait paisiblement comme souvent en mer tandis que Florent et moi imaginions le programme de la journée à venir : repos, baignade, bière fraîche... Mais à peine avions-nous pris le temps d'un petit tour à la plage que le vent de Sud-Est se leva, nous obligeant à trouver refuge dans les Calas du port. L'unique place disponible nous forçait à une manœuvre impossible à nous deux. Nous devions nous amarrer cul à quai, or l'arrière norvégien[1] de *Tanit* rendait l'exercice bien difficile, d'autant que le vent ne cessait de forcir. Je décidai donc de mettre *Ti'Tanit* à l'eau et

1. Arrière pointu, sans jupe.

de me rendre à terre à la rame afin de demander de l'aide sur les autres bateaux. Je fis signe à Florent qu'il pouvait se mettre à couple[1] d'un yacht en attendant de nous amarrer correctement et attendit qu'il manœuvra. Mais le temps me paraissait bien long, *Tanit* ne semblait pas répondre aux ordres de son Capitaine... tandis que nous devenions l'attraction du port. Puis soudain, je vis notre voilier venir s'écraser dangereusement sur le luxueux yacht, et j'entendis Florent crier : « *No motor, no motor !* » À la seconde, les spectateurs devinrent acteurs, grimpant sur le yacht sans permission préalable, s'activant en tous sens pour aider à la manœuvre. Florent sauta à l'eau pour attraper la bouée à l'avant, je sautai moi-même pour le remplacer à bord près de Colin. L'aventure finit bien, heureusement, mais nous étions en panne d'inverseur et cela semblait à une très mauvaise nouvelle. Nous restâmes donc cinq jours sans pour autant avoir le temps de visiter l'île. Cet arrêt forcé permit néanmoins à Colin de distinguer une nouvelle langue et de se faire de nouveaux copains de jeu. Florent, lui, passa deux jours à faire le mécano. Après avoir désespéré devant la tache, il finit cependant, à force de réflexion et de volonté, par réussir à réparer notre « Totor ».

Le 28, nous pouvions quitter l'île italienne pour Port-Saïd, en Égypte. L'excursion en mer durerait une dizaine de jours, peut-être plus. Le temps du voyage, nos heures se partagèrent entre lecture, cuisine et activités avec notre petit garçon (pâte à

1. S'amarrer à un autre bateau.

modeler, collage, jeux de pont...) – le tout au calme et au soleil. Le 30, nous pulvérisions notre dernier record de lenteur avec 35 milles parcourus en vingt-quatre heures ! Mais le calme venant toujours avant la tempête, nous ne fûmes pas surpris du coup de vent force 8 qui suivit cette pétole. Puisqu'il paraissait écrit que nous devions faire escale dans tous les lieux dont nous possédions une carte, nous filâmes nous abriter dans la baie de Saint Julians, à Malte. Nous étions le 1er octobre. Le 4, après une courte mais agréable escale maltaise, nous repartions pour Port-Saïd et apercevions sur le pont nos premiers poissons volants. Peu importaient les retards à présent, notre emploi du temps avait été si chamboulé que nous avions pris la décision de retarder la suite du voyage. Nous aurions bien sûr aimé passer l'hiver à Zanzibar, mais nous ne pourrions franchir le détroit de Bab-el-Mandeb dans de bonnes conditions. Tout marin, en effet, détermine sa route en fonction des indications données dans les *pilot charts*[1]. Pour notre part, nous devions prendre en compte la direction des vents soufflant dans le détroit, Nord ou Sud selon la saison, tout en pensant à l'arrivée dans l'océan Indien : vu notre destination (la Tanzanie), le bon moment correspondait à la mousson[2] de Nord-Est. Si nous voulions réunir toutes les conditions favorables, nous devions donc descendre la mer Rouge fin octobre au plus tard, ou bien attendre le mois de février. Et

1. Guide des vents et des courants.
2. L'été, la mousson en océan Indien est Sud-Ouest. L'hiver, elle est Nord-Est.

puis il faudrait bientôt remplir la caisse de bord, qui s'était délestée bien vite en Méditerranée. Nous décidâmes que nous passerions la fin de l'année à Hurghada, en Égypte.

Le 6 octobre, après deux jours de navigation sur mer agitée et sous un ciel orageux – et malgré une moyenne agréable de 6,5 nœuds –, nous décidions de faire une nouvelle escale improvisée. Comme nous croisions près de Gavdos, petite île au Sud de la Crète, notre curiosité nous imposa d'aller y jeter un œil. Nous nous battions contre le meltem[1], qui nous arrivait pile en face, par rafales, afin de rejoindre le petit port de Karave, quand je vis de la fumée sortir de la cabine arrière. J'attrapai Colin, pris la barre pour m'éloigner des côtes si proches et Florent s'engouffra dans le bateau. Nous eûmes plus de peur que de mal puisque ce n'était que le tuyau de refroidissement du moteur qui s'était déboîté. Mais, nos manœuvres périlleuses attirèrent l'attention de quelques marins du port, qui, de ce fait, attendaient notre arrivée à quai pour nous aider. Gavdos – une île de quarante habitants dont un instituteur et sept écoliers – fut notre première escale sauvage, celle que nous avions manquée de quelques années à Formentera, ou à Lampedusa, métamorphosées par le tourisme de masse. Nous louâmes une petite moto, explorant les 27 km² de l'île, humant l'odeur des oliviers, du thym sauvage et de la terre, sans jamais nous lasser de ce paysage sur fond de bleu profond. Colin, bien calé sur la moto, devant Florent, les cheveux au vent, se

1. Vent de Nord.

réjouissait de nos journées de balades. Excepté des monstres tapis dans sa cabine, cet enfant semblait n'avoir peur de rien... Nous profitâmes de l'escale pour fêter, avec quelques jours d'avance, les trois ans de Colin. Vu la météo que nous avions eue jusqu'ici en mer, je voulais être sûre de pouvoir préparer un gâteau au chocolat ! Si Florent et moi adorions manger et ne nous privions jamais de cuisiner en mer quand les conditions le permettaient, nos repas en Méditerranée avaient été plutôt frugaux.

Le 14 octobre, enchantés et reposés, nous quittâmes Gavdos pour Port-Saïd et le mythique Canal de Suez, dans des conditions – une fois n'est pas coutume – optimales : juste ce qu'il fallait de vent pour éviter de démarrer le moteur, sans trop subir la mer pour autant. Pour Colin, cela signifiait aussi que ses parents seraient plus disponibles pour lui. Si nous aimions être en mer tous les trois, la fatigue nous rendait parfois moins patients avec Colin, alors que lui se fichait de la pluie, du froid ou du vent ; il était toujours partant pour jouer à la bagarre sur la bannette, faire des cabanes ou des dessins.

Après six jours de navigation idyllique, *Tanit* arriva à Port-Saïd, escale obligatoire pour emprunter le Canal de Suez. Il nous fallut engager un pilote pour nous guider sur le canal jusqu'à Ismaïlia, étape imposée à mi-chemin avant Suez. J'aurais aimé interroger le pilote sur l'histoire du lieu, mais malheureusement son anglais était si basique que nous ne pouvions communiquer. Il pensait sincèrement se débrouiller très bien dans la langue, mais répondait, hélas, systématiquement à côté de mes questions.

Quand nous rejoignîmes Ismaïlia, le moteur lâcha une nouvelle fois ; Florent annonça qu'il fallait changer une pièce, soit engager 1 200 euros de frais, impossibles à éponger pour notre petite cagnotte. Heureusement, il se souvenait d'avoir laissé une vieille pièce identique dans le cagibi de notre ancienne maison. D'Ismaïlia, il nous fallut donc appeler Tony, mon meilleur ami, qui avait eu l'heureuse idée de reprendre la maison à notre départ. La pièce embarqua dans le premier vol Nantes-Hurghada, avec des voyageurs que Francis et Marie avaient réussi à convaincre de l'emporter dans leurs bagages. Elle arriva le lendemain, et nous coûta en tout et pour tout 60 euros de taxi. Cette étape forcée – qui nous permit de tester notre débrouillardise – fut l'occasion de faire une rencontre importante.

IL Y AVAIT UN VOILIER FRANÇAIS à quai et son skipper vint immédiatement nous saluer. Cet homme fort sympathique n'était autre que Jean-Yves Delanne, et le bateau qu'il convoyait, le fameux *Carré d'As*. Nous avions été informés de sa libération à la suite d'un assaut militaire mais n'imaginions pas le rencontrer ici. Sa femme était rentrée mais lui avait refusé d'abandonner en Somalie le bateau dont il était responsable ; il continuait donc sa route vers la France. Je fus enchantée de cette rencontre, non pas à cause de sa mésaventure avec les pirates, mais parce que je croisais, pour la première fois de notre voyage, un authentique marin. Nous étions bloqués ensemble à Ismaïlia, lui pour des détails à régler avec le propriétaire du *Carré d'As*, nous pour réparer le moteur, et ce fut l'occasion d'échanges constructifs et passionnants. Quand il monta à bord de *Tanit*, il nous avoua que nous lui faisions penser aux jeunes couples qui couraient les océans dans les années 1970 à la recherche de simplicité et de bonheur. Il était heureux de voir que cela existait encore. Jean-Yves vit à Tahiti depuis quarante ans et il a eu la chance de rencontrer la plupart des navigateurs qui peuplaient notre bibliothèque de bord. Il avait bien sûr connu Moitessier, Van de Kerchove ou Janichon, mais plus étonnamment, il me dit que son premier bateau était en photo dans l'un de nos livres[1]. Il avait donc vécu, en partie, cette expérience inoubliable qui nous avait fait rêver ! Paul Zumbiehl, son ami, voulait vivre en Robinson sur un atoll désert des Tuamotu avec sa femme, il cherchait une existence sans entraves menée au plus près d'une nature généreuse. Mais cet atoll était situé à 1 500 km de Tahiti et l'expédition n'était pas de tout repos, d'autant que les Zumbiehl étaient chargés de tout le nécessaire à leur survie pendant plusieurs mois. Jean-Yves fut le seul à bien vouloir les y conduire et se retrouva, de ce fait, participant à leur histoire avec son voilier.

Naturellement, nous décidâmes de dîner ensemble, et Jean-Yves en vint à nous raconter l'attaque que lui et sa femme avaient subie récemment. Il confirma d'abord qu'au moment des faits il se trouvait relativement près des côtes Nord de la Somalie, puisqu'il était passé entre l'île de Socotra et le continent. Nous fûmes étonnés de ce choix, mais il nous expliqua que,

---

1. *Un atoll et un rêve*, Paul Zumbiehl, Albin Michel, 1985.

malgré les renseignements recueillis à son départ d'Australie quelques mois auparavant, il n'avait pas connaissance du corridor de sécurité. Et puis, il n'en était pas à son premier passage dans la zone. Ses propos au sujet des pirates nous confortèrent dans l'idée que nous en avions : c'étaient des jeunes gens paumés, qui connaissaient peu de choses en navigation. Qui plus est, Jean-Yves était certainement tombé sur eux par hasard, les sauvant probablement d'une longue et dangereuse dérive. Ce qu'il nous rapporta de l'opération de libération, en revanche, nous ennuya plus car nous en retenions une violence inouïe. Cependant, Jean-Yves avait atteint rapidement les côtes somaliennes et l'assaut ne fut mené qu'après une dizaine de jours d'observation, où il avait pu communiquer à plusieurs reprises avec les autorités françaises. L'opération semblait donc avoir été menée en toute sécurité pour les otages. Jean-Yves ne fut pas surpris de voir que nous voulions continuer notre voyage car il savait que nous n'emprunterions pas la même route.

Peu avant la fin du mois d'octobre, nous quittions Ismaïlia avec un moteur comme neuf et un nouveau pilote. Ce dernier baragouinait encore plus mal anglais que le précédent mais je compris qu'il avait fait la guerre des Six Jours pour défendre le Canal, et qu'il était plutôt fier d'avoir, à cette occasion, réglé leur compte à trois soldats israéliens... Ajoutée à sa manie de piquer tout ce qui lui tombait sous la main aux alentours (tasse, médicaments, casquette...) pour le fourrer dans son sac, cette réflexion me fit passer l'envie de discuter avec lui. Nous fûmes donc ravis de le débarquer à Suez.

Tanit entra sur la mer Rouge le soir tombé. Il est déconseillé d'y naviguer de nuit car les patates de corail ainsi que la présence de nombreuses plates-formes pétrolières abandonnées (et donc obscures) y rendent l'orientation délicate. Peu importe, nous fîmes une entorse à la règle : Florent et moi avions décidé de veiller ensemble et de suivre le rail des cargos pour éviter d'écraser notre bateau contre un écueil inattendu. Ainsi nous profitions de notre dernière nuit de navigation avant un moment et gagnerions au petit matin un mouillage abrité.

Jusqu'au 5 novembre, nous n'avons en effet navigué que de jour et la dernière escale avant Hurghada nous réserva une surprise de taille : l'île de Tawila, qui nous émerveilla. C'est un endroit d'un calme absolu, un désert de corail où seuls quelques pêcheurs viennent naviguer. D'ailleurs, nous y observâmes avec admiration ces hommes, capables de vivre, pour rapporter leur pêche, plusieurs jours loin de chez eux sur de petites embarcations, dormant à la belle étoile sur le pont. La plénitude du lieu et la limpidité de ses eaux nous retenaient... le temps ne comptait plus, nous étions en osmose avec notre rêve et les choix qui nous avaient menés là. Mais nous réservions une autre surprise à Colin, et pour cela nous devions être à la marina le 7. Nous lui avions proposé d'aller voir des avions, sans rien préciser de plus... Lui, comme à son habitude, suivait en souriant les pérégrinations de ses parents. Et puis soudainement, tout ému, il vit Francis et Marie sortir de l'aéroport. Sa vie en bateau paraissait lui convenir, sa capacité d'adaptation surpassait même la nôtre, mais il semblait se languir de ses cousins, oncle, tante, et grands-parents. Nous repartîmes sur l'île de Tawila, heureux d'être en famille et impatients de faire découvrir à nos « invités » ce petit bout de paradis. Au programme, observation des oiseaux et heures de nage au-dessus des patates de corail, à s'en mettre plein les mirettes. Rarement j'avais vu autant d'espèces rassemblées dans si peu de fond. Retrouver dans notre guide les poissons observés devint, avec Florent, notre activité favorite : poissons clowns et autres demoiselles, perroquets, balistes, raie pastenague, tétrodon... Colin ne plongeait pas encore, mais nous lui montrions nos découvertes en dessins. Francis, qui n'est pas adepte de natation, passa des heures à tenter de pêcher, mais finalement nous préférâmes acheter des calamars aux pêcheurs qui s'étaient abrités non loin de nous pour la nuit.

Comme nous voulions visiter Louxor ensemble, il fallut donc, après cinq jours de détente en famille, lever l'ancre.

Quelle joie de recevoir ses proches chez soi, quelque part dans le monde ! Nos parents étant tous d'infatigables voyageurs, nous savions que leurs visites ponctueraient nos escales, mais nous goûtions à la joie de ces échanges pour la première fois. Nous visitâmes les temples de l'Égypte ancienne, profitant du savoir de Florent qui avait déjà déambulé entre sphinx et colonnes géantes en 2001. Colin se passionna pour les hiéroglyphes et profita intensément de ses grands-parents qui devaient nous quitter deux jours plus tard.

DÉCEMBRE ARRIVA bien vite et ce fut le temps des hésitations : nous avions décidé de revenir en France et d'y attendre la saison favorable pour le passage de Bab-el-Mandeb. Le port d'Hurghada, où nous comptions initialement nous arrêter quelques mois coûtait cher, trop cher, et nous trouvions difficilement à rester au mouillage dans le coin. Les possibilités de travail, si elles existaient, n'étaient guère nombreuses, et pour des salaires maigres. Et puis nous ne pouvions travailler tous les deux car il fallait garder Colin. Dans ces conditions, nous jugeâmes préférable de rentrer étant donné le prix peu élevé du vol. Florent avait déjà une proposition pour une mission d'un mois sur le chantier d'une maison, ce qui nous assurait de pallier les charges fixes, et moi, forte de la devise « Qui veut, peut », je pensais cumuler les petits boulots afin de faire des réserves.

Pour le prochain départ, se posait aussi le problème de la piraterie, auquel nous pensions beaucoup depuis notre rencontre avec Jean-Yves et dont nous discutions souvent avec nos voisins de pontons. Depuis que son envie de naviguer dans l'océan Indien était née, voilà plus de cinq ans, Florent ne cessait de se renseigner sur le fléau. Cela dit, nous pensions que le sujet était trop médiatisé depuis l'attaque du *Ponant*. Certes le risque existait bel et bien, mais où n'existait-il pas ? Si l'on regarde la carte mondiale de la piraterie diffusée par le gouvernement français, on y découvre qu'aucune région n'est épargnée pour qui veut faire le tour du monde sans passer par les trois caps. Or, plus de quatre-vingts équipages français passent chaque année dans le golfe d'Aden. Toutefois, pour plus de sécurité, nous envisagions que je reste en France avec

Colin, tandis que Florent repartirait avec des équipiers et que nous les rejoindrions au Kenya par les airs.

Le 10 décembre, Colin voyagea donc en avion pour la première fois et nous rentrions tous les trois en France, un peu à contrecœur. La perspective de passer l'hiver dans le froid ne nous enchantait pas. Colin fut cependant ravi de retrouver ses cousins et en profita pour aller à l'école. Florent travailla tout le mois de janvier sur son chantier tandis que je peinais à trouver des missions. Je m'étais inscrite dans plusieurs agences d'intérim, répondais quotidiennement à des annonces de l'ANPE, mais ne dégotais rien de plus que quelques heures quotidiennes de ménage. Je pris d'ailleurs conscience, durant cet hiver-là, des absurdités qui régissent le « travail précaire ». J'avais répondu à une annonce pour distribuer des prospectus, et obtenu un entretien d'embauche. Il s'agissait d'une agence de services à la personne qui voulait se faire connaître. Le patron m'expliqua qu'il cherchait quelqu'un de sérieux et d'organisé pour ce travail de quelques jours. Je lui tendis mon CV ainsi qu'une lettre de motivation et répondis à toutes ses questions. Je m'étais manifestée la première, il me recontacterait car il devait rencontrer d'autres candidats. Soit. Après quelques jours et d'autres entretiens, l'homme me rappela pour m'annoncer finalement que mon profil ne correspondait pas au poste. Avec les heures qu'il avait gaspillées à rechercher le bon « profil », il aurait plus vite fait de distribuer les prospectus lui-même.

Dépitée par l'ambiance hivernale bretonne et ce genre de rencontres, je ne pus m'empêcher de remettre en cause les raisons de notre retour. Nous étions là pour renflouer notre caisse de bord, mais si je ne gagnais pas plus d'argent, tout cela ne servirait qu'à payer nos billets pour le Kenya, bien plus onéreux que pour l'Égypte. Nous en discutâmes avec Florent et prîmes la décision de repartir tous ensemble. Nous avions trouvé deux équipiers : Steven, bien décidé à revenir sur *Tanit*, et Dorian, un autre ami, motivé lui aussi par l'expérience enrichissante d'une longue navigation. Au-delà de l'aspect financier, Florent et moi nous rendions bien compte, l'échéance du départ approchant, que nous serions incapables d'être séparés si longtemps. Florent n'envisageait pas de rester deux mois sans voir son fils. Notre vie à tous était désormais à bord et définitivement pas dans ce pays.

Florent, Dorian et Steven filèrent donc le 4 février pour Hurghada et nous les rejoignâmes le 15, leur laissant ainsi le temps de préparer le bateau, et de profiter du récif. Dans ce coin de l'Égypte, en février, la température de l'eau atteint 22 °C, et offre ainsi des conditions agréables pour donner un petit coup de brosse à la carène... Quand Colin franchit la descente[1] du voilier, sa joie me fit oublier mes hésitations : « Ah mon bateau, ma *Tanit*, je suis content de te retrouver ! » La navigation s'organisa en fonction du nouvel équipage : Capitaine et équipiers dévoués à *Tanit* ; équipière dévouée à Colin, qui ainsi ne pâtirait pas des lendemains de quart difficiles ou des jours de mauvais temps. Si prise d'otages il y avait – car nous voulions considérer le risque – nous aurions forcément notre

---

1. C'est le nom de l'escalier dans un bateau.

mot à dire et aucune intervention militaire n'aurait lieu sans médiation préalable, nous en étions persuadés depuis notre rencontre avec Jean-Yves. Enfin, Florent avait pris les derniers renseignements sur la route conseillée par les autorités françaises : nous passerions loin des côtes somaliennes puisque nous filerions directement vers Aden à la sortie de Bab-el-Mandeb. Puis nous longerions les côtes yéménites vers l'Est avant de faire cap au Sud lorsque nous serions sur la 60ᵉ longitude qui marque une distance de 500 milles avec les côtes somaliennes.

FORTS DE CES CONSEILS RÉCENTS, nous quittâmes ainsi l'Égypte tous ensemble le 18 février, et filâmes à vive allure vers Bab-el-Mandeb, portés par un vent de Nord. Cette descente de la mer Rouge fut l'occasion de pêches miraculeuses de thons et de barracudas, et de joyeux festins. Nous étions simplement heureux de vivre à nouveau sur l'eau, sous une chaleur toujours croissante, et au rythme des visites de dauphins. Steven était ravi de renouer avec les nuits étoilées tandis que Dorian découvrait la vie sur *Tanit*.

Certains à bord auraient voulu maigrir, mais Colin et moi étions très inspirés, et les deux premiers jours, heureux d'être là nous passâmes beaucoup de temps en cuisine : gâteau au chocolat, tarte aux fraises façon macaron, pommes de terre sautées... Sans oublier bien sûr le thon mariné, les beignets de barracuda ou le mahi-mahi[1] au lait de coco. Cela ne dura pas : à partir du 20, toujours ravie d'être en mer, j'étais suffisamment

1. Dorade coryphène.

barbouillée pour mettre un terme aux séances de cuisine. Et les rares jours de pêche infructueuse, nous attaquions même les conserves.

Le 28 février, tandis que nous continuions à avancer à 5-6 nœuds de moyenne, les nuages nous obligèrent à faire tourner le moteur pour recharger les batteries. Ce fut une nouvelle catastrophe mécanique ; mon Capitaine en avait vraiment marre de ce foutu moteur. Avec l'aide de Steven, il répara provisoirement « Totor », mais nous n'avions plus de marche arrière. Au moment du point météo, nous prévenions Francis de notre malchance, lui demandant de se procurer une pièce de rechange et de nous l'envoyer là-bas ; nous y serions dans cinq jours.

Je profitai de cette escale pour humer les premières senteurs de l'Afrique, déambulant sur les marchés à la recherche de fruits et de légumes frais. Florent, une fois de plus, passait des heures les mains dans le cambouis bien qu'il en ait horreur. Comme à son habitude, il ne s'arrêtait que lorsque tout fonctionnait à nouveau, conscient que sans moteur l'aventure prendrait fin. Colin adorait bricoler avec son Papa, lui passant les outils nécessaires ou l'aidant ici ou là à dévisser une cuve pour vérification. Une fois de plus, nous nous en sortions bien, Francis et Jérôme avaient récupéré une pièce d'occasion, qui nous coûta donc 150 euros au lieu des 1 000 exigés pour la neuve. Si la pièce que Francis nous envoya passa bien par le service de l'ambassade grâce au consul, qu'il avait contacté, je ne rencontrai aucun diplomate quand j'allai la chercher.

D'autres bateaux étaient au mouillage, venant ou filant vers l'océan Indien. Le seul rappel des événements liés à la piraterie vint avec une rencontre sur les quais, par la bouche d'un jeune Français, qui se disait ravi de la situation. Il s'occupait de fournir les cargos en EPE[1], recrutant principalement d'anciens légionnaires. Ses affaires donc, tournaient plutôt bien.

Quand « Totor » fut réparé, on se pressa de partir, guidés par la loi de la météo : nous ne devions pas nous attarder à terre si nous voulions bénéficier des vents favorables de la mousson. La caisse de bord était vide, mais les coffres encore bien pleins des vivres de nos premières réserves. Peu d'escales s'annonçaient avant le Kenya. Là-bas, donc, il nous faudrait trouver du travail.

Le 9 mars, nous laissions Djibouti pour Aden, au Yémen, notre escale initiale. Nous y passâmes trois jours, le temps du visa gratuit, et de faire un nouveau plein de produits frais. Le 14 mars au matin, nous quittions le port pour faire route vers notre dernière escale yéménite et entrions, le 15, dans la zone dite « à risque » du golfe d'Aden. Nous prîmes garde, bien sûr, de ne pas nous éloigner des côtes, veillant intensément et naviguant tous feux éteints, mais nous savions que, comme dans toute région où circulent des richesses, nous risquions de croiser braconniers et autres fraudeurs. La moindre lumière était guettée, et au moindre doute les équipiers réveillaient le Capitaine qui, de toute manière, ne dormait que d'un œil.

Nous avancions au près[2], doucement mais sûrement, et finalement on s'habitua à vivre penchés... Je

1. Équipe de protection embarquée.
2. Allure d'un voilier naviguant au plus près du vent (45°).

voyais les muscles de Colin se dessiner sur son petit corps bronzé ; c'est lui qui compensait le mieux la gîte du bateau. Il avait ce que l'on pourrait considérer comme la place la moins confortable pour dormir, à cette allure : à l'avant et en hauteur. Pourtant, il dormait comme un loir, calé à merveille sur le rythme du soleil. Tous les matins, après son biberon, il me réclamait de faire l'école. Je lui demandais de me laisser le temps de prendre mon petit déjeuner et de profiter un peu de mon Capitaine, qui était de quart à cette heure-là, puis nous sortions les cahiers d'exercices. Dans la matinée, avant d'aller se reposer, Florent passait un long moment à jouer avec son fils.

Le 17, au lever du jour, nous eûmes la visite d'un hélicoptère de la Marine française. Tandis qu'il faisait du sur place sur notre arrière, *Tanit* établit avec lui un contact radio :

— Hélicoptère, hélicoptère, hélicoptère, ici *Tanit*, *Tanit*, *Tanit*.

— Hélicoptère sur zone pour *Tanit*, on passe sur le 10, unité, zéro.

— OK, ici *Tanit*, je suis là.

— Et qu'est-ce que vous faites là ?

— On se balade... On va à Al-Mukalla, puis au Kenya.

— Mais vous savez que la zone est dangereuse ?

— Oui, bien sûr, on a pris les consignes à suivre.

— OK, faites attention à vous, Hakuna Matata.

Quelques heures après, ce fut le *Floréal*, le bâtiment militaire dont était détaché l'hélicoptère, qui prit contact avec nous par VHF, demandant notre route et notre numéro de téléphone satellite. Nous le vîmes alors arriver à notre Nord, et le commandant nous téléphona. Suite aux dernières attaques de pirates, il souhaitait nous informer des chemins les plus sûrs. Nous devions continuer le plus à l'Est possible et ne virer vers le Sud que lorsque nous serions à 500 milles des côtes. Il nous conseillait aussi de nous éloigner du sillage des navires de commerce, cibles privilégiées. Enfin, il insista pour que nous entrions en contact avec Alindien afin de participer au CNV[1]. Le *Floréal* nous escorta trois heures et l'hélicoptère revint tourner autour de nous le lendemain, afin de vérifier que tout allait bien et en profitant pour faire plusieurs photos de *Tanit*.

Deux jours plus tard nous atteigniions Al-Mukalla et mouilliions au pied de la vieille ville. Nous étions jeudi, soir de week-end au Yémen, et la ville nous intriguait tant que nous décidâmes de passer la soirée à terre. Nous nous laissâmes guider par les parfums et les couleurs qui s'offraient à nous, nous promenant dans les dédales de ruelles autour de la mosquée. La ville est construite sur une étroite bande séparant la montagne et la mer et les maisons semblent s'accrocher aux rochers, offrant du mouillage une vue majestueuse. Nous nous réveillions au son de la prière qui revenait comme un écho à bord.

Le 22 mars, il fut définitivement l'heure de lever l'ancre pour se lancer à la découverte de l'océan Indien. Il nous faudrait au moins trois semaines pour rallier le Kenya et Steven espérait y être le 12 avril

1. Contrôle naval volontaire.

pour rejoindre son amie. Les garçons reprirent une veille attentive vingt-quatre heures sur vingt-quatre et, comme prévu, nous fîmes route plein Est. La mousson n'était pas bien établie et les vents plus Est que Nord-Est, ce qui nous obligeait à naviguer au près et donc à faible allure. Chaque jour, ma mère, qui avait pris le relais de Francis pour la météo, nous téléphonait pour faire un point et nous lui donnions notre position qu'elle transmettait à Alindien comme convenu avec le *Floréal*.

Le 23, Florent était de quart quand il vit arriver en sens inverse trois bateaux de 8 mètres plutôt suspects. Les hommes à bord ne ressemblaient en rien à des pêcheurs et faisaient cap sur la Somalie. Cependant, bien qu'ils soient passés à quelques dizaines de mètres de nous, ils ne nous portèrent pas l'ombre d'un regard, et nous n'eûmes même pas le temps de nous inquiéter qu'ils étaient déjà loin. L'inquiétude monta d'un cran le 26, lorsque Dorian, qui était à la barre, appela Florent, l'informant qu'une embarcation se dirigeait droit sur nous. Le Capitaine sortit et l'observa aux jumelles, nous disant que ce n'était pas bon du tout et confirmant que le bateau arrivait vers nous. Florent, resta seul sur le pont tandis que nous observions de l'intérieur, par les hublots, l'arrivée de ces fauteurs de trouble. Ils vinrent bord à bord et j'imagine combien Florent dut avoir peur lorsqu'ils ouvrirent leur grande glacière. Il s'agissait de pêcheurs yéménites qui voulaient des cigarettes et nous remercièrent de leur en avoir donné en nous jetant une pluie de poissons sur le pont avant de repartir. Cette pêche miraculeuse était la bienvenue puisque nous n'attrapions plus rien depuis notre départ du Yémen. Remis de nos émotions, nous fûmes ravis de constater que ce jour marquait aussi notre entrée dans l'océan Indien.

Il était plutôt frustrant de faire route plein Est – à l'opposé de notre destination – mais nous voulions absolument attendre d'être sur la longitude 60 avant de changer de cap, car elle marquait la limite des 500 milles de la côte.

Ma mère nous téléphonait quotidiennement, toujours aussi étonnée que nous résistions à l'appel du Sud, mais le 27 mars elle nous annonça qu'elle avait reçu un mail d'Alindien lui indiquant une recrudescence nouvelle d'attaques au large du Kenya. Nous décidâmes immédiatement d'abandonner l'escale pour nous rendre directement aux Seychelles. Je transmis à ma mère les coordonnées du père d'un ami, qui vivait là-bas, afin qu'elle obtienne des informations pour notre arrivée.

Le 31 mars, comme Florent et moi nous reposions dans la cabine, je lui demandai :

« Mon amour, on n'est plus dans la zone à risque là ? – Non, me répondit-il, maintenant il faut surveiller les réserves, nous n'arriverons peut-être pas aux Seychelles avant dix jours. »

Océan Indien

Le samedi 4 avril 2009, environ deux heures avant la tombée de la nuit, nous étions au téléphone avec ma mère et nous lui donnions notre position : 9°36 Nord, 58°35 Est. De son côté, elle nous faisait un point de météo pour la zone où nous naviguions. Son sens marin m'a étonnée : de la France si lointaine, elle était capable de visualiser notre cap, notre allure et d'en déduire nos conditions de navigation. Comme d'habitude, elle transmettrait aussitôt ces informations à Alindien. Depuis quelques jours, je remplaçais Florent pour ses quarts. Après tant de moments partagés avec Colin, j'appréciais de faire une pause, et de profiter d'instants de solitude. Je pensais aussi que cela soulagerait Florent. La navigation avait, ces derniers temps, exigé de lui une attention permanente. Je voulais qu'il puisse se reposer. Nous étions maintenant, du moins le pensions-nous, loin du danger de la piraterie. Depuis le 31 mars, nous faisions route plein Sud, vers les Seychelles. Nous naviguions sur la 58ᵉ longitude Est, en plein océan Indien, à plus de 450 milles des côtes somaliennes, soit environ 800 km. Le 3 avril, la veille, nous étions comme tous les après-midi encalminés dans de faibles vents d'Est, et j'avais entrepris de mettre le moteur en route. Je connaissais parfaitement la marche à suivre, et pourtant je fis une grossière erreur. Le moteur fonctionnait mais cependant le boîtier continuait de biper ; au lieu de tout éteindre pour éviter la catastrophe, j'ai alors tourné bêtement la clef, grillant l'alternateur. Florent avait dû passer la matinée à réparer notre « Totor », pour la énième fois, et j'en étais bien penaude, car fautive. Il avait finalement trouvé une solution pour utiliser le moteur, mais l'alternateur ne pouvant plus charger correctement, nous serions tenus de veiller à notre consommation d'électricité, nous limitant à la stricte utilisation des équipements nécessaires à la navigation.

Ce 4 avril, la chaleur était accablante, et ce dès le lever du soleil. Pris d'une certaine langueur, nous vivions tous au ralenti, Colin jouant dans le carré, Steven et Dorian lisant sur le pont. Je revois Florent, dans la descente, ranger le téléphone dans sa pochette étanche. À cet instant, il devait penser à sa douche, ce moment si agréable où l'on profite des derniers rayons du soleil pour s'asperger à grands seaux de l'eau chaude de l'océan Indien. Lorsque je les ai aperçus, tout près de nous, il était trop tard pour faire quoi que ce soit. Ils naviguaient à quelques mètres seulement, à l'avant bâbord, embarqués dans un skiff bleu d'environ six mètres, équipé d'un moteur et d'une grande échelle recourbée. Ils avaient surgi de nulle part.

J'eus à peine le temps de prévenir Florent : « Un bateau, c'est mauvais, c'est pour nous. » Je demeurais étonnamment calme.

Très vite, les pirates s'accolèrent à notre franc-bord, en sens inverse de notre marche, leur coque tapant violemment contre celle de *Tanit*. Dans une certaine pagaille, un coup de feu retentit et l'un d'eux monta à bord, en hurlant : « Stop ! Stop ! », provoquant en une seconde un choc des cultures déstabilisant.

Soudainement, *Tanit* n'était plus notre cocon, *Tanit* n'était plus sûre... *Tanit* devenait l'enceinte de probables combats, un territoire de pirates, et nous nous engouffrions sans avoir rien vu venir dans un monde qui n'était pas le nôtre.

ILS ÉTAIENT CINQ, cinq Somaliens, vêtus de shorts et de tee-shirts élimés. Ils ne portaient rien avec eux, exceptées leurs armes, cinq kalachnikovs et un sac plastique. Ils enjambèrent les filières en un rien de temps, criant, encore et toujours, et faisant de grands gestes. Ils nous ordonnèrent de redescendre à l'intérieur ; nous n'avions qu'à nous exécuter. Cette retraite ne dura que quelques secondes car ils nous demandèrent aussitôt de remonter sur le pont. Les garçons passèrent devant et je sortis la dernière, tenant Colin dans mes bras. Quand j'atteignis la dernière marche de la descente, prête à sortir, un coup de feu venu de l'extérieur fendit l'air d'un claquement, sec. Immédiatement, je fis marche arrière, l'idée me traversant que Colin pouvait être touché. J'étais en proie à de nouveaux instincts. Tapie dans le carré, je distinguais, par l'ouverture de la descente, les yeux du chef. Il se tenait assis à l'arrière du cockpit, me faisant énergiquement signe de remonter.

Voyant que mon loulou n'avait rien, j'obtempérai et raflai deux choses, le chapeau de Colin et son gilet de sauvetage.

Il est difficile de traduire par des mots ce que je ressentais à ce moment-là, je me sentais comme projetée dans un film sans avoir entendu le clap du moteur. Pendant que le chef nous rassemblait sur le pont, à l'avant du bateau, les autres amarraient le skiff à l'arrière de *Tanit*. Je crois qu'à cet instant nos cerveaux ont brassé les idées les plus folles. « Ils vont nous jeter à la mer », craignais-je sans trop savoir pourquoi. Nous avons tous songé, au moins une seconde, que nous allions être exécutés. Les pirates descendirent à l'intérieur et le temps devint soudain très long. Nous étions seuls dehors, incapables d'échanger un mot. En bas, ils avaient l'air d'inspecter les lieux, sans vraiment fouiller… Je devinai qu'ils contrôlaient que personne d'autre ne se trouvait à bord.

Puis, quand ils revinrent vers nous, ils voulurent connaître notre nationalité. Ils n'avaient pas repéré le drapeau et quand bien même, je pense qu'ils ne l'auraient pas reconnu. Ils paraissaient bafouiller quelques mots d'anglais ; le chef répétait sans cesse : « French ? English ? », au point que, troublés, nous ne savions que leur répondre. Nous revenaient à chacun les paroles de ce pirate, recueillies à la libération du *Ponant*, et entendues lors d'un reportage télé : désormais les pirates somaliens menaçaient d'exécuter les otages français. Ces propos, nous n'avions jamais voulu y croire.

L'homme rompit la litanie des « French ? English ? », et voulut savoir qui était le Capitaine. Je pris peur et le suppliai de ne pas toucher à mon mari ; Florent, lui, promettait de faire tout ce qu'il voudrait, si seulement ils nous laissaient vivants. Nous étions agenouillés, déjà dociles, et répétions sans discontinuer : « Life, please, life. Take what you want. » Le chef commanda alors à Florent de le suivre et, ensemble, ils redescendirent dans le carré, nous laissant, Steven, Dorian et moi, seuls et sans mots. Même Colin gardait étrangement le silence, percevant certainement le sérieux de la situation. J'attendais, l'oreille tendue, et c'est ainsi que je pus entendre le chef s'adresser à Florent : « Blanket, blanket ? » Je n'étais pas sûre de bien comprendre. En réalité, il lui indiquait nos vestes, car la nuit tomberait bientôt. Lorsque Florent revint à l'avant, il me regarda, calme et sérieux, puis nous dit : « Je vous annonce que l'on va en Somalie. » Ce fut tout, et il retourna à l'arrière.

Florent s'installa à la barre et vira de cap pour faire route plein Ouest sous les ordres sans cesse renouvelés du chef : « Westi, westi, westi. » Comme un coup du mauvais sort, le vent d'Est, qui se levait en fin de journée, se montra tout à fait favorable et nous conféra une bonne allure. Sitôt que *Tanit* eut fait cap sur la Somalie, le chef intima à Florent l'ordre de rallumer le moteur. Depuis des jours et des jours, nous attendions en vain de filer ainsi sur l'eau. Florent, néanmoins, prit garde de ne rien faire pour mieux régler les voiles.

Après un long moment à l'avant du pont, où je me perdais dans mes pensées, mon fils dans mes bras, les pirates proposèrent que nous redescendions dans le bateau. Je laissai donc Steven et Dorian et nous nous installâmes dans la cabine avant. Je tentai de distraire Colin qui me posait des questions auxquelles je peinais à répondre. Florent et moi avions toujours pensé qu'un enfant pouvait tout comprendre si on l'accompagnait d'explications et d'amour. Je devais utiliser des mots simples pour traduire un peu de la complexité de la situation. Pourquoi voulaient-ils prendre notre bateau, les pirates ? Ils étaient méchants, n'est-ce pas ? Pas question de leur donner *Tanit* et encore moins ses jouets. Je tâchais de répondre au plus juste : mon chéri, ils ne sont pas méchants. Dans leur pays il y a la guerre, ils n'ont rien pour vivre, rien à manger... Ils veulent juste de l'argent, ça va aller.

Par le hublot grand ouvert je réussis à glisser quelques bricoles aux garçons, comme de l'eau et des cigarettes.

Au bout d'un moment, j'entendis le vrombissement d'un avion et le distinguai aussitôt dans le ciel, volant au-dessus de nous. Je demandai à Colin d'être sage un instant pour mieux l'observer : l'avion ne faisait pas que traverser notre zone, il tournait. J'attrapai alors la lampe de poche de Colin et tentai de lui envoyer des signaux lumineux, tout en trouvant la coïncidence des plus extraordinaires. Nous étions en plein océan Indien, un point au milieu de l'infini, et réussissions à croiser le chemin d'un patrouilleur, sûrement en mission de surveillance contre la piraterie. Nos geôliers prirent peur, croyant que nous avions appelé les secours ; dans l'affolement, ils larguèrent l'amarre de leur bateau. Cette présence militaire avait l'air de les échauffer, mais ils n'avaient aucune raison de nous tuer tant qu'ils avaient l'espoir de rentrer en Somalie. Si je considérais le vol de cet avion au-dessus de nous comme étant un hasard, leur aventure en mer avant de tomber sur *Tanit* les incitait peut-être à penser qu'il les cherchait.

Quand l'avion fut bien éloigné, je revins dans le carré à la demande de Florent : les pirates étaient assoiffés et affamés, il fallait faire quelque chose pour eux. De quelle manière ai-je pu occuper Colin pendant ces moments-là, je ne le sais plus bien, tout est flou dans mon esprit... Il me réclamait un dessin animé, mais les pirates ne voulaient pas nous laisser utiliser l'ordinateur, persuadés que nous pouvions communiquer avec l'extérieur. Il n'en était rien, mais comment le leur faire comprendre avec le peu de mots anglais qu'ils maîtrisaient ? Nous avions des difficultés à nous entendre. En revanche, dès ce premier jour, les pirates avaient clairement menacé de tuer Florent si nous essayions de joindre quelqu'un. Ce ne furent que des intimidations verbales mais leurs armes nous incitaient à les prendre au sérieux.

Bien qu'ayant changé de cap sous leur contrainte, nous reprenions peu à peu le cours de la navigation et je liai avec eux un semblant de relation, découvrant des hommes jeunes, faibles, maigres, en haillons. Ils semblaient déshydratés et anémiés, alors je leur donnai des bouteilles d'eau, qu'ils vidaient d'une traite. Le chef me demanda de leur préparer à manger ; je lui présentai alors une boîte de raviolis qui le laissa sceptique. Je me doutais qu'il n'en avait jamais mangé, mais puisqu'il me réclamait des pâtes... Il s'inquiéta de savoir si les raviolis contenaient du cochon et je dus sortir un livre d'images appartenant à Colin pour lui désigner le cochon et la vache, et lui expliquer comme je le pouvais la préparation des dits raviolis. Colin me regardait, étonné, montrer son album au pirate et, se rappelant nos diverses escales – l'Espagne, la Grèce... –, il comprit que nous ne parlions pas la même langue. Le fait que ces hommes soient noirs ne parut guère l'intriguer non plus. D'abord parce que nous avons des oncles, tantes et cousins africains, mais surtout parce que le voyage, depuis juillet que nous étions en mer, lui avait fait entrevoir bien des peuples et des cultures.

Le chef, dont je comprenais qu'il s'appelait Jaama, finit par accepter mes conserves et s'installa en haut des marches de la descente, pour me surveiller pendant la préparation du repas. Cette place, je l'aimais beaucoup avant leur intrusion ; à présent, elle était devenue la sienne. Tandis que je m'affairais, je l'entendais s'adresser à ses collègues, et j'en déduisis qu'il commentait mes faits et gestes, faisant le lien entre l'intérieur du bateau et l'extérieur. Il remonta sur le pont muni de la casserole de raviolis, de bols et de fourchettes pour lui et ses camarades. Ils restèrent groupés à l'arrière du pont pour manger.

Quand ils eurent terminé ce premier dîner, Jaama revint dans le cockpit. C'est à cet instant que notre téléphone satellite sonna. J'étais alors dans la descente, parlant avec Florent, tout près, si près de l'endroit où l'appareil était rangé... Ils ne l'avaient pas repéré lors de leur fouille sommaire, et je n'avais pas non plus cherché à le subtiliser. Maintenant, il

était trop tard ; Jaama me le confisqua immédiatement et s'empressa d'insérer sa puce à l'intérieur. Je
n'eus guère de regrets : la peur de voir Florent mourir
pour mon imprudence m'aurait empêchée de m'en
servir. Nous avions déjà parlé à ma mère le jour
même, alors je me pris à imaginer que c'était Alindien,
en possession de notre numéro et de notre position,
qui appelait suite au signalement laissé par l'avion.

Je ne me doutais pas que c'était Francis, le père de
Florent, qui cherchait à nous joindre. De toute façon,
quelle importance ? Nous étions à présent dans
l'incapacité de communiquer avec qui que ce soit.

LE PASSAGE DE CET AVION au-dessus de *Tanit* nous
amenait tous à envisager une possible intervention
militaire. Depuis le début de notre voyage, et dans le
cas d'une prise d'otages par des pirates, nous ne son-
gions pas à cette éventualité car Florent refusait
d'entrer en contact avec les autorités françaises, mais
nous avions été conviés à le faire suite à notre rencontre avec le *Floréal*, le 17 mars, entre Aden et Al
Mukalla.

Nous étions prêts à aller jusqu'en Somalie, mais
nous savions qu'il nous faudrait au moins six jours de
mer pour atteindre la côte, ce qui laissait aux militaires le temps de se poster, en retrait. Le récit
qu'avait fait Jean-Yves Delanne, à propos de sa propre
captivité, évoquait une longue période d'observation
de l'armée. Il avait d'ailleurs été étonné, lors des
négociations, des détails que le médiateur avait été
capable de lui fournir par téléphone à propos de son
mouillage.

Ainsi, ayant été, comme tous les Français, informés des mérites et des compétences de notre armée, et considérant combien nos pirates se montraient peu professionnels, nous ne pouvions nous empêcher de réfléchir aux différents scénari possibles pour un assaut surprise, comme celui qui avait libéré les Delanne.

Lorsque la première nuit vint, Colin, qui vivait au rythme du soleil, manifesta quelques signes de fatigue. Il voulut naturellement rester dans le cockpit, sous sa couverture polaire, comme il en avait l'habitude. Nous nous allongeâmes donc tous les deux près de Florent, tandis que les pirates se tenaient à l'arrière, sur le pont. Ils avaient pris les coussins pour eux, mais nous les rendirent d'eux-mêmes. Ce repos-là ne dura guère longtemps car Florent et moi préférions installer notre fils à l'abri, loin du regard des intrus. Je m'installai donc avec Colin dans la cabine avant et l'apaisai, lui parlant beaucoup et lui faisant boire de l'eau avec du L72, un médicament homéopathique relaxant. Quand il se fut endormi, je revins dans le carré et les pirates me demandèrent du thé, me permettant d'en faire aussi pour Steven et Dorian. Les Somaliens réclamèrent surtout des cigarettes. Depuis quelques jours déjà, le tabac était source de chamailleries à bord car nous savions que nous allions cruellement en manquer d'ici notre arrivée aux Seychelles. Avec l'intrusion des pirates, la question ne se posa plus : ils fumaient cigarette sur cigarette, alors pourquoi nous priver ? Nos réserves s'épuisaient à vue d'œil.

Plus tard dans la nuit, je m'allongeai tout près de Florent, qui était à la barre, ma tête sur ses genoux, lui serrant la main extrêmement fort et lui murmurant des dizaines de « je t'aime » chargés d'espoir et de crainte. Je le sentais inquiet, sans pour autant deviner les pensées qui lui traversaient l'esprit. Il était le Capitaine et, depuis notre départ de Bretagne, il m'avait montré avec quelle force il assumait son rôle. Depuis les premiers milles, jamais je ne l'avais vu faillir. Son sens de la responsabilité devait lui causer bien des inquiétudes et des interrogations, mais il était calme, tout comme moi à ses côtés. Il finit tout de même par me renvoyer, de peur que ma présence irrite les pirates, ou les froisse. Mieux valait que je rejoigne Colin. Je m'y résignai, alors que j'aurais tant voulu rester contre lui.

Quand je redescendis, mes instincts reprirent le dessus : je profitai d'un relâchement de surveillance pour faire une petite réserve de médicaments et disposer des couteaux et ciseaux dans les équipets, avant d'entrer dans la cabine avant. Seule dans cet espace avec Colin, protégés par des rideaux, j'ouvrai une à une des dizaines de gélules de Di-Antalvic et rassemblai la poudre obtenue dans un récipient. À l'abri dans ma bulle, à l'intérieur de *Tanit* devenue étrangère, je songeai à mettre, quand j'en aurais le courage et que la situation me le permettrait, mon poison dans la nourriture. Laissant aller mon regard, je vis alors traîner notre téléphone portable. Nous étions loin de tout relais, il était équipé d'une puce égyptienne sans crédit... une arme vaine, en somme. Mais pourrais-je seulement expliquer cela aux pirates si par malchance ils mettaient la main dessus ? Non, bien sûr que non. Dans un accès de colère, je le dézinguai et en éparpillai tous les composants. Au moins, la question était réglée. La nuit s'étira et nos intrus, comprenant que Florent ne pourrait barrer indéfiniment, firent revenir Steven et Dorian dans le bateau. Les trois garçons se relaieraient un par un à la barre tandis que les deux autres seraient confinés à la cabine arrière. Cette première nuit, chacun chercha un peu sa place. Steven était plus à l'aise à la barre ; Dorian préférait les moments de « repos » à l'intérieur, s'y sentant moins en danger. De mon côté je dormais peu, gambergeant à la manière dont j'allais protéger mon fils.

Le lendemain, dimanche 5 avril, nous commencions lentement à prendre nos marques. Nous accusions le coup de notre captivité ; les pirates, eux, semblaient jouir de leur nouvelle liberté. Forcés de cohabiter, nous tentâmes d'abord de comprendre leurs prénoms. Ils eurent moins de mal à retenir les nôtres. Le chef s'appelait Jaama, que l'on prononçait « gamin ». Le plus vieux, il était aussi le plus déterminé : une quarantaine d'années, le cheveu rare, le visage marqué de cicatrices. Plus que les autres, il m'effrayait car son regard semblait vide. Dès les premiers instants Jaama ne m'inspira aucune confiance, c'est lui qui s'introduisait le plus souvent dans le bateau, et essayait, malgré mes efforts pour éloigner mon fils, de parler à Colin. « Hey Colin, my friend », des mots qui me faisaient froid dans le dos.

Le second de Jaama, ou le deuxième chef, était un grand et beau garçon, plutôt jeune. 1,80 mètre au moins, les traits fins, de grandes dents étonnamment blanches. Abdi ? Ali ? Nous ne parvenions pas à déchiffrer son nom, alors, entre nous, nous l'appelions « Émail Diamant ». Le surnom était un exutoire à la situation, et une manière de nous rassurer aussi. Nous redoutions par-dessus tout la paranoïa des pirates si par hasard ils nous entendaient parler d'eux.

Ce dimanche, quand nous nous sommes retrouvés presque tous ensemble, par rotation, nous avons beaucoup parlé, tentant d'imaginer comment nous pourrions les neutraliser. Mais nous finissions par admettre notre impuissance face au danger des armes.

De leur côté, ces hommes prenaient leurs aises sur le pont, vivant leur vie tandis qu'un des garçons manœuvrait toujours le voilier. Leur comportement, le caractère presque surréaliste de la situation et nos nerfs, fragiles, nous poussèrent même à rire par moments, notamment aux sempiternelles rengaines de Jaama. En matière de navigation, il ne savait dire qu'une chose, alors il en usait et en abusait : « Westi, westi, westi ». L'entendre ainsi ordonner et ordonner encore, avec pour seule arme de persuasion le terme « westi », suffisait à nous plonger dans l'absurdité et une certaine hilarité.

Les trois autres pirates étaient également des jeunes hommes ; ils devaient avoir la vingtaine tout au plus. Pourtant, leurs corps, déjà abîmés, portaient les stigmates d'une vie africaine très dure. Leur dentition, leurs pieds, leurs mains, tout en eux trahissait un quotidien âpre.

Il y avait Abdi, qui semblait le plus jeune de tous. Il se chargeait de la vaisselle, entre autres. Après les repas, il me rapportait toujours bols et gamelles propres. Le deuxième, celui avec qui je parlais le plus, nous le surnommions « le Pêchou » car il nous avait expliqué que la pêche était son métier. De fait, il paraissait comprendre la mer un peu mieux que les autres, qui n'y connaissaient strictement rien. « Le Pêchou » était aussi le plus discret d'entre eux. Enfin, le dernier pirate se prénommait Osmane, mais nous l'appelions « Luna », car nous avions cru remarquer que les autres l'appelaient ainsi. Ces trois-là étaient petits, et très maigres.

Des toutes premières discussions que nous tentions d'avoir avec eux découlait le même sentiment : nous avions affaire à des types profondément paumés. Nous avions beaucoup songé aux pirates pendant la préparation du voyage de *Tanit* ; ceux-là correspondaient parfaitement à l'image que j'avais pu m'en faire, et à la description de Jean-Yves Delanne. Rien n'aurait pu laisser croire qu'ils étaient entraînés : non, ils improvisaient.

Dans une atmosphère étrange, la vie s'organisa doucement. Si les garçons et moi n'avions pas très faim, ce n'était pas le cas de nos hôtes. Le matin, tout en préparant le biberon de Colin, je leur faisais leur café et leur distribuais des petits gâteaux. Dès le dimanche matin, ils s'étaient tous installés à l'avant, à un endroit qui désormais serait dévolu à leurs repas. *Tanit* cessait peu à peu de nous appartenir.

Mais je m'inquiétai vite de leur grande consommation et tentai de faire un peu de rationnements, tout en accompagnant mes efforts d'explications. Ainsi quand il n'y eut presque plus de biscuits, je leur fis entendre qu'il serait bon de les garder pour Colin. Je prenais toujours garde qu'ils ne voient pas nos réserves réelles car ces richesses, cruciales avant le départ, nous étaient devenues vitales.

La deuxième nuit, mon besoin d'être auprès de Florent se fit trop fort et je rejoignis, avec Colin, les garçons à l'arrière. Nous nous retrouvâmes ainsi, à quatre, parfois cinq, confinés dans un espace restreint. Notre lit avait beau être large et profond, tout de même... Et puis Steven et Dorian sont de grands gaillards. Notre cabine n'avait pas été conçue pour de telles circonstances. Il y avait peu de place au sol, juste de quoi installer un petit matelas, sur lequel je décidai de dormir avec Colin.

Le lundi 6 avril au matin, c'est moi qui tenais exceptionnellement la barre. Les pirates étaient là, face à moi, assis sur *Ti'Tanit*, occupés à converser. Je ne sais quel espoir me traversa à cet instant, mais j'essayai d'entamer un vain dialogue avec eux, les exhortant à jeter leurs armes à la mer : nous allions les ramener en Somalie, nous étions bien leurs otages, mais ces armes, elles, risquaient de nous causer du tort, à tous. Ils m'observaient, m'écoutaient, faisaient des gestes avec leurs kalachnikovs, feignant de les jeter, si bien que j'ai même pensé, naïvement, qu'ils avaient compris.

Au cours des trois premiers jours de captivité, les garçons et moi n'avons quasiment rien mangé, non pas que les pirates nous en empêchaient, mais nous n'avions pas d'appétit. Ainsi, ce jour-là, lorsque Colin me le demanda, j'acceptai de faire un gâteau au chocolat. Tandis que je terminais mon ouvrage, j'aperçus soudain Jaama par le hublot horizontal du carré et ce que je craignais advint : il montra du doigt le gâteau et me fit signe de le lui donner. Ce n'était pas si grave, au fond, mais ce sont des agissements comme celui-là qui, durant notre cohabitation, m'ont mise le plus en colère. Cependant, je ne me démontai pas et lui expliquai en anglais, comme s'il pouvait comprendre ce que je lui disais, que nous n'avions rien avalé depuis deux jours et que ça, ce gâteau, eh bien c'était pour nous, et pour Colin. Il acquiesça sans insister, apparemment désemparé par ma colère ; je sus alors que les rapports que j'entretiendrais avec lui seraient difficiles. D'abord j'étais une femme, mais une femme occidentale, qui raisonnait et agissait en tant que telle. Je me montrais malgré moi bien différente d'une Somalienne, et probablement de toutes les femmes qu'il avait pu côtoyer. Son anglais était très approximatif : je ne le comprenais pas, il ne me comprenait pas. Cela avait le don de me mettre hors de moi, et surtout je sentais bien qu'avec lui la situation serait toujours susceptible de dégénérer.

Ce lundi-là, voyant les garçons se laver sur le pont, les pirates décidèrent d'en faire autant. Par respect, bien sûr, je ne sortais pas. Florent me raconta plus tard qu'Abdi fut le premier à se lancer et qu'il avait dû lui expliquer comment procéder. Naturellement et gentiment, quand il le vit tenter de se savonner à sec, il lui montra, avec des gestes simples, comment s'y prendre. L'eau qui s'écoula alors sur le pont était marron. Même après avoir passé plusieurs jours en mer sous le cagnard, ces hommes n'avaient pas eu idée avant de se laver à l'eau de mer. Peu à peu nous prenions la mesure de la désuétude de leur quotidien.

Quand ils furent propres, les pirates demandèrent des vêtements au Capitaine, pour remplacer leurs fripes ; Florent arrivait à leur en donner avec le sourire. Je ne sais comment l'expliquer, mais malgré la situation, devant leur plaisir à enfiler de nouveaux habits, il était satisfait de son acte, sans penser au contexte. Il savait faire abstraction de ses animosités personnelles ; le respect de l'autre, quel qu'il soit, demeurait toujours plus fort. Steven leur offrit aussi des pantalons et des tee-shirts, et le pont de *Tanit* se transforma progressivement en podium, chacun y allant de son petit défilé et choisissant avec le plus grand soin ce qu'il enfilerait. Seul « le Pêchou », comme à son habitude, restait discret, et en retrait.

Nous n'étions cependant pas dénués d'arrière-pensées, cherchant toujours à faire les choix les plus tactiques. Nous leur proposions d'abord et avant tout les vêtements les plus colorés : veste de quart rouge de Florent pour Jaama, tee-shirt orange pour « Émail Diamant », tee-shirt rouge pour « le Pêchou », ou encore pantalon orange pour Abdi. Les garçons étaient tout le temps, ou presque, torse nu et nous trouvions plus judicieux de vêtir les pirates de façon très voyante, et contrastante. Ainsi, de loin, on saurait qui était qui.

Tant qu'il n'y eut pas de présence militaire près de nous, la violence ne régenta pas nos échanges ;

jusqu'en ce lundi fin de journée, aucune arme ne nous avait encore directement menacés.

Dans l'après-midi, tandis que le gâteau au chocolat refroidissait, j'entendis à nouveau le bruit sourd d'un avion. J'eus à peine le temps de réaliser ce qui se passait que Jaama nous ordonna à tous de monter sur le pont, et de rejoindre Dorian qui tenait la barre. Il nous fit installer, Steven, Colin et moi, dans le cockpit, tandis qu'il logeait Florent sur le roof, pour mieux le viser et intimider les forces armées. L'avion était gros, bleu marine ; nous en déduisîmes qu'il s'agissait d'un patrouilleur de la Marine française.

Jaama fut pris d'une très grande tension et les pirates, qui répondaient à ses ordres, nous mirent brusquement en joue, nous enjoignant de faire signe à l'avion de s'éloigner. L'appareil nous survolait relativement haut, longuement, passant et repassant. Il venait en mission de reconnaissance, mais nos geôliers s'imaginaient déjà qu'il pouvait nous tirer dessus. Leurs lacunes en termes de tactique militaire étrangère n'allaient pas nous aider à discuter calmement. Pourtant nous comprenions ce qui les préoccupait et tentions de leur expliquer que cet avion ne pouvait pas nous attaquer. Mais à chaque passage de l'avion, nous étions tout de même sommés de remuer les bras largement, et de crier : « Away ! Go away ! »

J'étais pétrifiée de voir mon mari ainsi tenu en joue, de lire la peur dans ses yeux, de ne pouvoir rien faire si ce n'est attendre, comme un calvaire, que l'avion s'éloigne, enfin. La crainte de la balle perdue, celle qui part accidentellement, me terrifiait. Je n'avais guère confiance en ces vieilles kalachnikovs que les pirates maniaient sans ménagement, et encore moins en leurs réflexes. La kalachnikov du « Pêchou » était braquée sur Colin et moi (par la suite, je compris qu'il était assigné à la surveillance de la femme et de l'enfant). Je lui demandai alors, d'un regard et d'un mot – « please » – de détourner le canon de son arme. Un instant, il y eut comme de la compassion dans son regard, et ses mains, que je fixais dans l'espoir de les voir bouger, finirent par pivoter légèrement afin que nous ne soyons plus directement visés. J'instaurai avec lui un dialogue silencieux et discret car Jaama se montrait moins coopératif et n'hésitait jamais à corriger vigoureusement ses troupes. Plus tard, alors que nous étions loin de Jaama, « le Pêchou » me confia à plusieurs reprises qu'il ne nous ferait pas de mal.

Dans la soirée, les pirates nous avaient tous rassemblés dans la cabine ; nous essayions tant bien que mal de nous remettre de nos émotions tandis qu'« Émail Diamant » était à la barre et les autres sur le pont. Je les entendais prononcer mon prénom, et j'eus soudain l'étrange conviction de deviner leurs propos : si je leur avais demandé de jeter leurs armes ce matin, c'était, bien sûr, parce que je savais qu'un avion allait venir. J'avais forcément voulu les prendre par traîtrise. J'ignore si cette interprétation fut une divagation de ma part, mais elle ne faisait qu'accentuer mes craintes quant à une possible intervention militaire. Les pirates nous avaient déjà montré combien la présence de l'armée pouvait les irriter et modifier leur comportement. Mais, paradoxalement, aussitôt passée, la menace était oubliée. Les Somaliens reprenaient leurs « habitudes » sur le pont, et leurs discussions, sans avoir l'air de cogiter sur ce qu'impliquait un survol pour la suite des événements.

Sur nous, cette approche eut d'autres conséquences : nous pressentions que l'armée française était proche. Une frégate se tenait certainement quelque part sur l'horizon, suffisamment loin de nous pour que nous ne la repérions pas, mais assez près pour permettre aux militaires de cerner la situation. Nous tentions d'imaginer leurs capacités d'action : pouvaient-ils nous observer sans que nous les voyions ? *Tanit* avançant au ralenti, des nageurs de combat pouvaient-ils se placer sous la coque afin d'installer un système d'écoute ? Enfin, n'envisageant pas d'autres possibilités qu'un assaut nocturne, nous restions, la nuit, sur nos gardes.

Le jour succédait à la nuit, chacun allant et venant de la barre à la cabine arrière. Notre quotidien à bord était différent à présent, mais nous vivions selon cette nouvelle organisation. Un des nombreux hublots de la cabine arrière, situé dans le dos du barreur, permettait à ce dernier de communiquer facilement avec les passagers de la cabine. Un simple petit coup sur le banc pouvait sonner l'alarme et prévenir de l'arrivée d'un pirate près de nous. Nous étions en permanence sur le qui-vive, liés les uns aux autres.

LE LENDEMAIN, mardi 7 avril, je profitai de l'heure du repas et du rassemblement à l'extérieur de tous les pirates pour trafiquer un peu dans notre cabine en toute discrétion : je récupérai pour Colin des jeux que j'avais gardés en réserve pour plus tard, pariant sur le fait que, dans ce contexte difficile, la nouveauté pouvait faire passer le temps ; même si les pirates affirmaient qu'une fois en Somalie nous resterions à bord, je pris soin de préparer un sac, dans l'éventualité d'un débarquement, et y fourrai les antipaludéens, anti-diarrhéiques, antibiotiques... Je voulais prévoir tout le nécessaire pour la santé de Colin ; notre enfant était certes vacciné pour supporter un séjour dans un pays difficile, mais je voulais emporter suffisamment de médicaments pour le soigner en cas de problème.

Enfin, je commençai à remplir des sacs pour nos pirates et leurs familles, avec des jeux, des habits... Avant même de partir, Florent et moi avions toujours eu le même discours : si nous devions aller à terre en cas d'une prise d'otages, nous tâcherions de nous rendre utiles à la population. Je pensais essentiellement soigner certains malades et tenter, pourquoi pas, de créer un lien avec des habitants du village où nous serions contraints de séjourner.

Curieusement, cette traversée finissait par avoir quelque chose d'une navigation comme les autres. Les heures s'y écoulaient, comme à leur habitude, au rythme des milles parcourus. Les pirates, comme nous, tentaient de tuer le temps en parlant. À force de les écouter, Florent comprenait qu'ils échangeaient souvent à propos de l'argent que nous allions leur rapporter. De notre côté, si nous évoquions ce que nous ferions une fois libérés, nous étions surtout concentrés sur l'instant présent, et sur l'éventualité d'un assaut nocturne.

Comme nous n'avions de contact ni avec l'armée ni avec nos familles, nous ignorions totalement ce qu'il se tramait en dehors de notre monde. Les cinq pirates étaient régulièrement sur le pont, y compris la nuit, et comme la mer était calme, nous supposions que, peut-être, l'armée interviendrait par surprise.

Je me mis à détailler chaque recoin de *Tanit* différemment, scrutant ici et là les repaires et autres cachettes, imaginant avec Florent la meilleure solution pour protéger notre enfant. Sous nos équipets où nous glissions d'habitude de grandes caisses de rangement, j'aménageai un petit abri bien dissimulé pour Colin. Je passai beaucoup de temps auprès de lui, recroquevillée dans notre espace étroit, à lui raconter des histoires. J'étais sur le qui-vive, prête à chaque instant à le protéger, tout en m'évertuant à l'occuper car il perdait patience et trouvait le temps bien long. Néanmoins, le fait d'être tous entassés dans la même cabine constituait pour lui un léger « avantage » : il pouvait faire des jeux avec son père ou avec Steven. Jusque dans la journée de mardi, Colin et moi avons continué, par moment, à jouer à l'avant, dans sa cabine. Cependant la présence des pirates, pour certains installés à l'avant du pont, ne nous inspirait guère de distraction. Ils ouvraient le grand hublot horizontal de la cabine de Colin et s'en servaient comme d'une table. Si bien que, chaque fois qu'ils le refermaient, leurs miettes et autres cochonneries venaient se déverser directement dans son lit. Ce petit bout ne comprenait pas pourquoi ils ne faisaient pas plus attention ; je sentais que j'étais en train de perdre patience. D'autres fois, je reprenais un peu de courage, tentant de vivre comme avant, autant que possible en tout cas. Je tâchais d'expliquer à Jaama que *Tanit* était notre maison, qu'en France nous n'avions rien, mais je compris vite que le meilleur moyen de le convaincre était encore de lui montrer la simplicité dans laquelle nous vivions. Je voulais qu'il pense à sa mère, à sa femme. Alors je faisais à manger, la vaisselle, passais la balayette, secouais les tapis... C'était, au fond, une manière de me convaincre moi-même que la vie continuait.

En réalité, tout était différent.

Tanit était aménagée de telle manière que je n'avais nulle part où me changer à l'abri des regards. La seule alternative demeurait les toilettes, et comme j'évitais de me laver sur le pont en la présence des pirates, je me réfugiais là-bas. La porte ne fermait pas à clef, si bien que la veille Jaama m'avait surprise dans mon antre, quasiment nue, et je l'en vis extrêmement embarrassé. Il avait aussitôt refermé la porte en bredouillant des excuses. Au tout début de notre captivité, je faisais attention à mes tenues, veillais à respecter leur culture et à ne pas choquer ces hommes. Mais la chaleur était telle, à quoi bon me cacher sous les vêtements ? Et puis, ils m'énervaient tant que rapidement je cessai de me préoccuper de leur pudeur et finis par remettre mes débardeurs.

Pour Colin, j'essayais d'évoluer dans le bateau comme si de rien n'était. Nous faisions tantôt de la pâte à modeler, tantôt des messieurs patates, ou alors des exercices scolaires... Mais je ne pouvais toujours pas utiliser l'ordinateur : impossible de faire entendre à ces hommes que l'on ne pouvait pas communiquer avec. J'enrageais de voir Colin ainsi privé de dessins animés à un moment où ils lui auraient été le plus utiles pour tuer le temps. Je fis tout de même une tentative, pour détendre Colin, et entrepris de lui installer le lecteur DVD, qui ne fonctionnait qu'au moyen d'une clef USB. Jaama était assis près du hublot, au-dessus de la bannette où j'installais mon fils. Il me fit soudain des grands gestes, criant des « No ! » « No ! », ce qui eut le don de me mettre les nerfs à vif. « *Cartoon*, Colin, putain *cartoon*, *children* ! » Je ne sais pas s'il saisit, mais il abdiqua – une victoire qui fut de courte durée puisque, malheureusement pour mon loulou, le lecteur de clef USB s'avéra défaillant.

SUR UN VOILIER de la taille de *Tanit*, le confinement n'est pas chose facile, surtout lorsqu'il est forcé. Peu avant l'intrusion des pirates, nous n'étions plus qu'à 900 milles des Seychelles (soit 1 600 km), et avions hâte, Florent, Colin et moi, de nous retrouver tous les trois, seuls dans notre petit nid. La navigation s'était toujours bien déroulée avec nos équipiers, mais c'est un sentiment naturel en grande croisière, après bientôt deux mois passés ensemble. Nous qui avions besoin de nous écarter un peu les uns des autres et de recouvrer notre intimité, nous étions soudain collés serrés dans quelques mètres carrés. Notre cohabitation virait à l'entassement.

Quatre jours étaient ainsi passés, au cours desquels nous faisions route vers la Somalie. Régulièrement, les pirates nous assuraient qu'ils ne nous feraient aucun mal : quand nous arriverions, ils entameraient des tractations avec nos familles pour obtenir une rançon en échange de notre libération.

Ainsi les choses auraient-elles pu se passer, en effet.

Ces hommes avaient fini par nous montrer le contenu du sac plastique qu'ils avaient apporté avec eux : un téléphone satellite, un vieux GPS portable et des cartouches. Le lendemain de leur arrivée sur le voilier, ils avaient téléphoné à leur chef, resté à terre, qu'ils nous désignaient comme un certain Ali ; c'était Ali, donc, qui gérerait les négociations, une fois que nous serions arrivés en Somalie. Depuis lors, pour éviter de rompre la communication avec leur commanditaire, Abdi, le jeune homme chargé de l'intendance, s'introduisait souvent dans *Tanit* pour mettre les téléphones à charger.

Cependant, depuis le premier jour, tout autre chose les intriguait à l'intérieur du bateau : nos toilettes. D'autant qu'ils semblaient traîner de lourdes diarrhées. Comme je l'avais craint lorsqu'ils s'étaient jetés sur la nourriture avec avidité, ils n'avaient probablement pas l'habitude de manger ni de se désaltérer autant qu'il leur était donné de le faire sur *Tanit*. Ils s'y rendaient en général un par un, laissant toujours leur arme à l'extérieur, à notre demande. Je suis persuadée qu'ils prenaient plaisir à utiliser cette drôle de machine qu'étaient nos toilettes, sans doute aussi fascinés par la pompe à pied qui distribuait l'eau dans le lavabo, un peu comme par magie. Jusqu'au mercredi, ils étaient donc peu descendus dans le carré de *Tanit*, et toujours pour une raison précise. Pour les repas, ils ne quittaient jamais leur place préférée, l'avant du pont.

Je leur préparais à manger tous les jours, leur distribuant petits gâteaux, bonbons et sucre par kilos. Nous avions beaucoup de mal à leur faire comprendre que la route jusqu'en Somalie allait être longue et qu'il fallait rationner. Leur réponse revenait, invariablement : nous trouverions tous les vivres qu'il nous fallait là-bas. Ils n'avaient aucune notion de rationnement, eux qui manquaient habituellement de tout ne s'imaginaient pas que l'on puisse mourir de soif ou de faim sur un voilier occidental. Nous fulminions.

Voyant les bouteilles d'eau se vider à toute allure, Florent tenta alors d'instaurer des règles. Il y avait sur le pont plusieurs bidons remplis d'eau, d'une contenance de dix litres chacun. C'était une eau de secours, que nous gardions en cas de naufrage ou pour remplir les réservoirs si nous venions à manquer. Nous ne l'avions pas encore traitée avec des pastilles de Micropur, qui permettent de l'assainir, mais elle était potable, peut-être plus encore que l'eau que les pirates buvaient habituellement. Cherchant tout ce qui serait susceptible de leur plaire dans nos réserves, je leur proposai du lait concentré, leur expliquant qu'ils pouvaient le diluer dans l'eau. Puis le lait concentré se trouva épuisé, alors je leur donnai du sirop de fraise.

Faisant fi de nos recommandations, leur consommation de thé et de sucre prit des dimensions impressionnantes. Je leur laissais tout ce qu'il leur fallait sur le pont ; la seule chose qu'ils me demandaient, c'était de leur faire chauffer de l'eau. Le thé fut aussi consommé d'une étrange manière. Quand, le premier jour, les pirates nous avaient réclamé des cigarettes, nous les avions prévenus qu'une fois le stock vide, nous n'en aurions d'autres ni pour eux, ni même pour nous. Rien n'y fit, ils fumèrent tous les paquets en deux jours, et en redemandaient. Devant l'évidence, ils ne voulurent pas s'avouer vaincus et nous les vîmes ainsi rouler des cigarettes de thé – préalablement extrait des sachets – dans des pages de livre de poche, et fumer le tout comme s'il s'agissait de tabac et de feuilles. Steven n'était pas le plus intoxiqué de nous tous, pourtant il fut le seul à tenter l'expérience. Je ne crois pas, aujourd'hui, qu'il soit converti, malgré le prix exorbitant du tabac.

Leur rapport à l'hygiène et à la nourriture nous permit de prendre conscience de leurs conditions de vie habituelles. Nous savions que la Somalie était un pays en guerre, nous étions déjà allés en Afrique, nous avions lu des ouvrages et regardé des reportages, mais nous ne mesurions pas réellement le dénuement des Somaliens. Un fait, pourtant très anodin au vu du reste des événements, me fit entrevoir l'abîme qui séparait nos deux mondes : je leur donnai une boîte de « Vache qui rit », tout à fait locale puisque achetée au Yémen et de marque arabe. Ce fromage, mondialement connu, est l'un des seuls que l'on trouve facilement en Afrique, au Moyen-Orient ou dans les îles. Pourtant, eux n'en avaient jamais vu, c'est pourquoi ils nous avaient demandé s'il fallait mélanger ces petits triangles avec de l'eau, comme on le faisait avec le lait concentré. Je ne sais quelle fissure cet événement ouvrit en moi, mais je devinai ce que pouvait être leur vie...

Ce mardi, nous revint le souvenir des deux bouteilles de gnôle que nous conservions précieusement à bord. On ne boit jamais en mer, les petits plaisirs alcoolisés étant le privilège des escales. Pourtant, les circonstances nous incitaient vivement à faire une entorse à la règle. Et puis nous ne voulions surtout pas donner d'alcool aux pirates, ce qui tombait plutôt bien car, mis à part la gnôle, il n'y avait à bord rien à se mettre dans le gosier. Mieux valait donc les liquider pour notre compte ! Comme j'étais la seule à circuler plus ou moins librement, j'allai donc les sortir discrètement de leur cachette. Alors, bien installée dans ma planque, à l'abri des regards, je transvasai leur contenu dans un récipient en plastique. Ces bouteilles, qui nous feraient tenir quelques jours, avaient une signification importante pour Florent et moi. La première nous avait été offerte par Tony, et la deuxième par Gérard, un ami des parents de Florent. Gérard l'avait étiquetée avec justesse « Gnôle de survie ». C'était le médicament idéal pour calmer les angoisses tout en restant apte à réagir en cas de nécessité.

Durant notre séquestration, Florent essayait souvent d'entamer le dialogue avec les pirates. Il s'efforçait de parler avec les plus jeunes, non sans quelques difficultés. Je me souviens de lui à la barre, en grande discussion avec « Émail Diamant », installé à l'arrière du bateau. Lorsque je vins me joindre à eux, Florent m'informa qu'il avait vingt-quatre ans ; étonnée, je lui demandai comment il avait pu obtenir ce renseigne-

ment. Alors ensemble, souriant et laissant apercevoir leurs belles dents blanches, ils me firent la
démonstration de leur mode de communication : ils
frappaient dans leurs mains pour signifier les dizaines,
puis ajustaient le nombre d'années en exhibant
quelques doigts. « Émail Diamant » arborait un large
sourire, allant jusqu'à serrer la main de Florent et
lui donner du « *my friend* ». Florent avait également
réussi à saisir qu'avant d'avoir abordé *Tanit* ces
hommes naviguaient en mer depuis plusieurs jours,
sans rien à manger ni à boire. Nous comprenions que
croiser notre route fut certainement une « chance »
pour eux.

Pour faire connaissance ou parler de choses sans
intérêt, la barrière de la langue n'était pas un réel
obstacle, mais pour le reste, nous sentions que notre
sécurité dépendait de notre compréhension mutuelle.
C'est d'ailleurs parce que nous avions beaucoup de
mal à communiquer entre nous que les pirates télé-
phonèrent ce jour-là à un certain Hassan. Il était,
paraît-il, instituteur, et maîtrisait l'anglais : ses parents
vivaient en Australie. Peu importait au fond comment
il avait appris la langue, Florent sauta sur l'occasion
pour discuter avec lui. L'homme lui assura que nos
geôliers n'étaient pas de mauvais garçons (« good
boys »), qu'ils ne nous feraient aucun mal et, sans
surprise, conclut qu'ils réclamaient simplement de
l'argent en échange de notre liberté. D'ailleurs, les
négociations s'engageraient aussitôt que nous aurions
rejoint la terre. Florent profita de la brèche pour
mettre certaines choses au clair avec Hassan : nous
avions été survolés par un avion la veille, l'armée

risquait donc de nous rattraper. L'équipage ne voulait pas d'une intervention militaire, qui pourrait s'avérer très dangereuse pour tous. Espérant qu'Hassan leur transmettrait l'avertissement, il le salua et repassa le téléphone à Jaama. Une fois la communication achevée, et contre toute attente, celui-ci nous ordonna de descendre dans la cabine. Quand nous fûmes en bas, nous sentîmes la tension monter dans la voix des pirates, restés là-haut sur le pont, puis nous vîmes le visage d'« Émail Diamant » apparaître par le hublot horizontal arrière. Il fixait méchamment Florent, et lui fit un signe d'un doigt pointé sur le front qu'il pourrait le tuer d'une balle dans la tête. Jamais auparavant je n'avais lu cette peur dans les yeux de Florent, qui ne comprenait pas pourquoi la situation avait basculé à ce point, et si vite. Pourquoi, alors qu'il avait voulu et cru l'améliorer, avait-elle empiré par sa faute ? Nous perdions pied mais je tentai de le rassurer, lui disant qu'ils n'avaient aucune raison de nous tuer, qu'il n'était pas responsable du quiproquo et que leur irritation allait passer.

Florent se ressaisit en se remémorant la conversation avec Jean-Yves Delanne. Jean-Yves avait été très clair, nous expliquant que, tout le temps de sa captivité, il était demeuré seul chef à bord, et qu'il avait imposé ses règles. Florent en conclut qu'il s'était montré trop « faible » le jour de la capture, et qu'il était temps de reprendre le dessus, de leur montrer qu'il était le Capitaine de *Tanit*. Il s'en voulait de nous avoir emmenés avec lui, il répétait qu'il aurait dû refuser que nous embarquions. Je dus lui rappeler que nous avions pris cette décision ensemble et que je ne regrettais rien. Je devais me trouver là avec lui, il n'aurait pu en être autrement.

Le soir tombé, dans la cuisine, je me lançai dans un échange avec Jaama en m'appuyant sur ce qu'Hassan avait dit de lui et de ses sbires. Je lui demandai : « *Are you a good boy, or a bad boy ?* »

Dans le contexte, la question pouvait paraître stupide, mais c'était une manière pour moi de garder un contact avec lui, même fragile. À peine les premières paroles prononcées, je vis bien à son regard qu'il ne comprenait strictement rien à mes propos. Alors je répétai, futilement, en le montrant du doigt : « *You ! Bad boy or good boy ?* » Peine perdue, il me fixait, toujours aussi perplexe, me poussant à sortir de mes gonds et à lui livrer un monologue incongru dont il ne saisit probablement pas une syllabe : « *You can't be a pirate if you don't speak english ! You want to be a pirate ? So go to learn english, and after you will be a pirate.* »

MERCREDI 8 AVRIL. *Tanit*, peu à peu, se déprenait de nous. Florent ne circulait guère sur le pont, mais sa relative immobilité ne l'empêchait pas de constater déjà l'état piteux de son bateau. Mégots et miettes de thé jonchaient le sol, y laissant de multiples traces marronnasses ; les pirates éparpillaient leurs ordures ou bien les jetaient à la mer. Certains récipients partaient ainsi à l'eau, ou bien, de temps en temps, des vêtements sales. Quant à eux, avachis, ils dormaient dans les voiles.

« Émail Diamant » m'effrayait de plus en plus. Lui qui avait un si beau visage et un si beau sourire semblait aussi être le plus nerveux, et donc le moins contrôlable. Je n'avais pas apprécié sa manière de menacer Florent et me défiais à présent de lui tout autant que de Jaama. Ce matin-là, en allant et venant dans le carré, je n'eus qu'à lever la tête pour le voir debout sur le pont. Ou plus exactement pour apercevoir ses attributs. Il avait en effet mis la main sur le futah yéménite de Steven (cette pièce de tissu que les hommes portent comme une jupe) et l'avait enfilé. J'aurais pu être gênée, j'aurais même pu en rire, mais je fus apeurée. Et n'osai songer à sa réaction si seulement il m'avait surprise. Je filai dans la cabine arrière et me détendis en rapportant l'anecdote aux garçons.

Quand je menaçais d'empoisonner les pirates ou de les désarmer, Florent me défendait de poursuivre un tel but, répétant qu'il ne voulait pas leur mort. Il était d'ailleurs persuadé que si l'armée intervenait, elle ferait tout pour les arrêter vivants. Quand, à son tour, il voulut prendre des initiatives dangereuses, c'est moi qui l'en dissuadai. La veille, aux alentours de midi, Florent barrait, j'étais avec lui dans le cockpit, et les cinq pirates se tenaient sur le pont à l'avant, comme à leur habitude, pour manger. Il avait alors émis l'idée de lancer un appel VHF (appel radio retransmis aux bateaux proches), mais je pris peur. Si l'un des cinq l'apercevait par un hublot ? Il serait certainement exécuté. Et puis que pourrions-nous dire de bien nouveau, dans cette communication ? Qu'ils étaient cinq à bord, tous sur le pont ? Si par hasard elle était dans les parages, l'armée s'en était forcément rendu compte.

Depuis le premier jour, les pirates montraient par leur comportement qu'ils n'avaient aucune notion du maniement d'un voilier. Florent eut d'ailleurs beaucoup de mal à les convaincre que nous ne pouvions pas laisser le moteur allumé en permanence, car nous n'avions pas assez de gasoil. GPS à l'appui, il démontra à Jaama que le bateau allait aussi vite sans le moteur, grâce au vent, et qu'il valait mieux garder les réserves de carburant pour naviguer quand le vent faiblirait. D'ailleurs ce mercredi-là nous tombâmes en panne de gasoil et Florent dut exposer les cuves à Jaama pour que ce dernier le croie.

Dans l'éventualité d'une intervention militaire, nous essayions de faire des choix susceptibles d'aider les opérations. En cette époque de l'année, il fait extrêmement chaud dans l'océan Indien, et le vent souffle rarement assez fort pour nous faire un peu d'air. Les pirates, qui évoluaient quasi exclusivement sur le pont, sans protection, souffraient de la chaleur autant que nous. Néanmoins, en dépit de leurs nombreuses requêtes, nous nous refusions à installer des bâches, songeant aux observations possibles.

Les doutes que nous inspirait l'issue de cette prise d'otages nous poussaient, Florent et moi, à beaucoup parler de *Tanit* quand nous nous retrouvions seuls dans la cabine. Lui qui avait fourni des efforts passionnés pour en faire ce qu'elle était jusqu'au jour de notre capture était attristé et résigné en imaginant le sort futur de son bateau. Lors de l'assaut sur le *Carré d'As*, les militaires avaient insisté pour que Jean-Yves Delanne abandonne son voilier. Comme ce n'était pas le sien – et que Jean-Yves en impose quelque peu –, ils s'étaient laissé convaincre, et une équipe de militaires l'avait remonté jusqu'à Djibouti, à la voile.

Mais nous, aurions-nous le choix ? Certainement pas, et il nous fallait admettre que nous laisserions couler *Tanit*. Avec Florent, nous faisions l'inventaire de ce qui était le plus important à récupérer ; il me disait qu'il s'occuperait de tout.

Nous pensions aussi à nos familles, mais il était trop douloureux, à cette heure, d'admettre la peine et l'angoisse que nous devions leur causer. Nous pensions à Zélie, notre nièce, qui fêtait ses 10 ans, et regardions tous les jours l'album de photos et de messages que tous, famille et amis, nous avaient offert pour notre départ.

Dans l'après-midi, une frégate de la Marine française s'approcha de notre voilier et vint se placer sur notre bâbord arrière. Je crois me souvenir qu'à cet instant Dorian tenait la barre. Immédiatement, les pirates nous firent remonter sur le pont pour nous tenir en joue face à la possible menace de l'agresseur. Cette confrontation aux armes dura longtemps, peut-être une heure, mais je ne pourrais l'affirmer avec certitude. Depuis que nous étions en mer, nous avions perdu un peu de notre notion du temps et nous étions habitués à l'heure UTC (heure universelle). Nous vivions plutôt au rythme des jours et des nuits. Nous étions donc à nouveau, comme le lundi précédent, rassemblés tous les dix sur le pont. Un des pirates m'ordonna de me placer à l'arrière bâbord, ce qui leur permit de me tenir en joue dans le dos, tandis que je faisais face à la frégate et que Colin était assis à mes pieds. Elle n'était guère loin de *Tanit*, peut-être à 100 ou 200 mètres. Nous paraissions si petits à côté d'elle. Tandis que nous apercevions un deuxième navire de guerre, qui se tenait plus loin, sur l'horizon, et dont la présence accentua la tension qui avait déjà emparé les pirates. Florent était à genoux sur le roof et menacé dans le dos, tout comme moi. Nous devions continuellement faire de grands gestes avec nos bras, sans jamais nous arrêter, jusqu'à ce que l'Armée décide enfin de s'éloigner une fois pour toutes. Chaque fois que j'entendais Jaama crier le prénom de Florent, ou l'un des pirates enclencher la sécurité sur sa kalachnikov, je ne pouvais m'empêcher de redouter qu'un drame, même accidentel – surtout accidentel – surgisse à tout instant. Je suppliais alors Florent du regard pour qu'il ne flanche pas, pour qu'il continue à remuer les bras malgré la douleur des gestes infiniment répétés, et malgré leur inanité. J'étais debout, devant les filières, et, une seconde, l'idée de sauter à l'eau avec Colin pour le protéger m'est venue. Le risque de voir Florent exécuté en représailles et la pensée de ne plus être avec lui me ramenèrent cependant à ma condition d'otage : j'étais tout aussi impuissante que les autres. En dépit de nos encouragements, les frégates restèrent en place jusqu'à la tombée du jour.

Il fallut des heures pour que les pirates comprennent qu'ils pouvaient communiquer avec les militaires via la VHF. À bord de la frégate, se trouvaient en effet un médiateur et un traducteur. En fin de journée, Jaama décida d'appeler Steven à la barre. Les autres pirates restèrent sur le pont tandis que Florent et Dorian rejoignirent la cabine arrière. Colin et moi restâmes dans le carré : j'étais assise sur la bannette bâbord,

Colin jouait aux petites voitures sous la table, et Jaama se résolvait enfin à allumer la VHF. Nous avions beau ne pas saisir tout ce qu'ils échangeaient avec le traducteur, nous prîmes vite conscience que les discussions n'aboutiraient à rien : les pirates étaient sur les nerfs. J'entendis soudain Jaama appeler Florent pour lui passer le combiné. Le médiateur voulut savoir si tout allait bien, si nous avions assez à manger et à boire, combien étaient les pirates et s'ils étaient armés, ajoutant qu'il fallait tenir le coup. À cause des lacunes de Jaama en anglais, les soupçons ne tardèrent pas à venir et le contact se dégrada considérablement. Le pirate arma sa kalachnikov et visa Colin, qui jouait toujours sous la table. Florent se mit à hurler : « Vise pas mon fils, ça ne sert à rien, espèce d'enculé ! », mais Jaama lui ordonna de retourner à sa place. Colin vint se réfugier dans mes bras, en me demandant pourquoi le monsieur l'avait « chassé » avec son arme. Je ne sus que répondre. Pour la première fois, Colin avait été directement visé par une arme chargée. Jaama mit rapidement fin à la communication, la nuit était tombée et les frégates s'éloignèrent.

La situation nous dépassait tous. Florent avait été contraint de tenir aux militaires des propos rassurants ; Jaama, lui, sentait le danger approcher sans pour autant réaliser de ce qui allait réellement se passer.

La bêtise humaine, voilà ce qui effrayait le plus Florent. C'est pourquoi il s'évertuait à leur parler souvent, à leur faire comprendre par bribes ce qu'il risquait d'arriver si l'armée intervenait. Rien n'y fit.

À bord, la nervosité nous avait tous gagnés et je vis les regards des uns et des autres pirates s'assombrir.

Jusque-là, je n'avais pas été menacée, directement ou indirectement, d'exécution. Mais cette nuit-là, allongée sur le petit matelas installé à même le sol, avec Colin tout contre moi, j'ai perçu le regard de Jaama à travers le hublot de la cuisine, comme un affront. De par la disposition de notre cabine, j'étais la seule à pouvoir le voir et m'en trouvai extrêmement troublée. Ses yeux transperçaient l'obscurité pour se poser sur moi, puis sur mon fils. J'ai voulu croire que si ces pirates envisageaient d'exécuter « la femme et l'enfant », ils n'auraient pas le courage d'agir tant que nous serions éveillés. C'est pourquoi j'ai lutté pour ne pas m'endormir. À partir de là, les nuits seraient courtes et hachées, mais seul Colin continuerait à dormir d'une traite. Le reste de la journée, les garçons se relayaient toujours à la barre sous un soleil de plomb et tandis que la chaleur rendait notre cabine très humide. Les pirates ne cessaient de faire du bruit, discutant, rigolant, jouant avec leurs armes. Même lorsque je croyais m'assoupir, je gardais mes sens en éveil, prête à réagir à la moindre agression.

Quand les frégates reprirent leur poste au petit matin le lendemain, c'était encore l'heure de quart de Dorian. Il sentit tout de suite la tension se répandre chez nos geôliers. L'atmosphère électrique était palpable, comme si la peur enveloppait *Tanit*. Je ne sais s'ils avaient remarqué que les frégates avaient échangé leur place, mais ce n'était pas le même navire que la veille qui se tenait près de nous. De nouveau, nous étions mis en joue. Cette fois, je me trouvais dans le cockpit, assise près de Steven, Colin toujours blotti dans mes jambes. Florent, quant à lui, était à nouveau prié de s'installer sur le roof. Dans ce moment, j'évitai de croiser les yeux des pirates. Le seul dont j'arrivais encore à soutenir le regard, c'était « le Pêchou » – le seul, en réalité, chez qui je pouvais déceler des desseins réconfortants : « Non, je ne vous tuerai pas. » Étrangement, je faisais confiance à cet homme, alors que je ne voulais surtout pas m'attarder dans les yeux des autres car, à chaque échange, même furtif, je n'y lisais rien de bienveillant. Au contraire, par un regard ou un mot mal interprété, je craignais de provoquer en eux un élan agressif. Fixer Florent, malgré la douleur d'être condamnée à ne faire que cela, lui montrer que j'étais là, et surtout rester sur mes gardes pour Colin, voilà ce à quoi je m'efforçais. Parfois, j'imaginais le pire, au point de prévenir Steven : « S'il se passe quoi que ce soit, tu attrapes Colin et tu le balances dans la descente, tu ne te poses pas de question. »

Jaama et ses hommes s'étaient remis à crier pour que nous fassions signe aux frégates de partir, encore et encore, dans une mascarade sans cesse renouvelée. Nous devions aussi hurler : « Go ! Away ! » Et en effet, je voulais voir les militaires partir, toute cette tension étant bien trop douloureuse à supporter. Les pirates sortaient de leurs gonds à la moindre déviation sur leur GPS, même de quelques degrés seulement. Et Dorian, pris d'angoisse, avait du mal à tenir correctement le cap. Ils décidèrent donc de faire un échange avec Florent, et de le laisser reprendre la barre.

La journée fut longue car la frégate la plus proche, s'éloignant de temps à autre, finissait toujours par revenir près de nous. Les pirates nous tenaient maintenant sous surveillance, parfois même à l'intérieur du bateau, et ils nous faisaient remonter sur le pont à chaque nouvelle approche. Jaama ne semblait cependant pas décidé à rallumer la VHF.

Depuis que les militaires rôdaient dans les parages et que les pirates, par sécurité, se retranchaient progressivement dans le carré, garder notre fils à l'abri de leurs menaces s'avérait de plus en plus difficile.

Dans l'après-midi, à un moment où Steven, Colin et moi étions à l'intérieur, dans le carré, nous surprîmes « le Pêchou » en train de somnoler, sa kalachnikov à la main. La même idée nous traversa l'esprit : « On lui prend ? » Oui, mais après ?

LA JOURNÉE S'ÉTIRA dans une atmosphère pesante. Lorsque Jaama me commanda à nouveau de leur préparer à manger – des pâtes, encore et toujours – je ne pus m'empêcher de m'agacer. Florent vint m'aider, et me conseilla d'aller me reposer. Il montra à Jaama le fonctionnement de la gazinière et de l'évier. C'est ainsi qu'il se rendit compte que l'évier fuyait et que plusieurs litres d'eau s'étaient écoulés dans les cales ; il n'y prêta pas plus attention. Déjà, il s'était détaché de son bateau. Jaama tenait la gamelle fumante de pâtes et s'apprêtait à rejoindre ses camarades quand la frégate réapparut. Elle se rapprochait de *Tanit*, plus près qu'elle ne l'avait fait jusque-là ; les pirates nous rassemblèrent instantanément sur le pont, une nouvelle fois. Au porte-voix, un homme annonça que la France n'admettait pas la piraterie et qu'il fallait stopper l'avancée du bateau. On vit alors glisser le long de leur bord une grande banderole blanche en tissu, sur laquelle était inscrit « Stop ». Tout en délivrant ce message, la frégate avançait de biais sur l'avant, probablement pour nous forcer à dévier de notre route. Les pirates étaient plongés dans l'incompréhension la plus totale et nous nous efforcions de leur donner la traduction des avertissements militaires français. Il s'écoula peu de temps avant que l'homme du mégaphone ne profère des menaces : l'armée n'hésitera pas à employer la force. L'annonce nous crispa à notre tour, nous devions raisonner les pirates au plus vite. Ces derniers réalisèrent enfin ce qui était en train de se jouer. Ils me firent aussitôt descendre à l'intérieur du bateau avec Colin et Steven – Steven se retrouva seul à l'arrière, Colin et moi dans le carré. Assis au bord du lit de Colin, près du pied de mât, « Émail Diamant » se tenait face à nous. Les quatre autres pirates veillaient sur le pont, avec Florent et Dorian.

Soudain, j'entendis des crépitements : les tirs se succédaient par dizaines dans le mât tandis que les douilles et morceaux de verre du feu de navigation s'écrasaient sur le pont, juste au-dessus de ma tête. Le pied de mât faisait résonner chaque coup de feu. J'ai supposé que la Marine tirait dans les voiles pour ralentir le bateau, je pensais même que les pirates avaient été pris pour cibles et que nous allions être libérés. Mais j'entendis mon mari hurler, et je le crus blessé. Je fixai alors le pirate droit dans les yeux, Colin blotti dans mes bras, son visage tourné vers ma poitrine. Notre gardien était visiblement désemparé, son regard témoignait d'une profonde panique et ses pupilles, devenues folles, faisaient des allers-retours insensés entre nous et le pont, au-dessus, devant, au-dessus... Il nous visait, le canon de son arme était si près, quelques centimètres au plus, que je le suppliai, avec toute la douceur dont j'étais encore capable : « Please, please, please... »

Quelques longues minutes plus tard, quand les tirs furent stoppés, Florent et Dorian nous rejoignirent, suivis des autres pirates. Dans le carré régnait une grande confusion ; nous nous tenions tous les quatre, les uns tout contre les autres. Je n'avais de cesse de répéter, bêtement, à Florent : « C'est fini là ? C'est fini ? » Avec gentillesse mais fermeté, il m'interrompit : « Arrête, je ne sais pas, arrête s'il te plaît. » Puis il me rapporta que les militaires avaient fait descendre la grand-voile en tirant dans la drisse[1]. Quand ils exigèrent, au haut-parleur, d'affaler[2] aussi le génois[3], Florent réussit à convaincre les pirates de le laisser s'en occuper lui-même, et Abdi l'y aida. À l'issue de cette manœuvre, nous étions donc à sec de toile[4]. Lorsque je lui demandai pourquoi il avait crié, il me répondit qu'Abdi avait laissé partir un coup de feu accidentellement. Ce que je redoutais chaque fois que je voyais un pirate manier son arme s'était donc produit, sans blesser personne heureusement.

Les discussions avec l'Armée reprirent de plus belle à la VHF, chaque pirate parlant séparément, les

1. Cordage servant à hisser la voile.
2. Faire descendre la voile.
3. Voile d'avant.
4. Toutes les voiles sont affalées.

téléphones satellites ne cessant de sonner. Au-delà des discussions avec les chefs à terre, je pense qu'ils devaient téléphoner à leurs familles. Contre toute attente, deux d'entre eux, « Luna » et « le Pêchou », décidèrent de se rendre : ils se présentèrent sur le pont, déposèrent les armes et levèrent les mains en l'air. Je crois bien qu'à cet instant nous vîmes la libération proche, mais personne n'intervint, personne ne réagit, alors ils redescendirent. Nous étions toujours tous les quatre blottis sur la bannette bâbord du carré, tandis que Steven avait disparu à l'arrière. Il avait vidé tous les coffres et tenté de s'y cacher ; il ne répondait plus aux pirates, ce qui eut le don de les échauffer : ils pensèrent qu'il avait sauté à l'eau. Nous les voyions défiler tous les trois devant nous, passer et repasser de l'avant à l'arrière, du dedans au dehors, pris d'une extrême agitation. Seuls les deux démissionnaires, fait étrange, s'étaient endormis à l'avant dans la cabine de Colin. Ils étaient à bout de nerfs, épuisés, et le fait d'avoir annoncé leur abandon les avait peut-être brutalement apaisés.

« Émail Diamant » nous expliqua par des signes qu'il n'avait pas l'intention de se rendre : hors de question d'aller en prison, il préférait encore se suicider – une conclusion que nous déduisîmes de la façon dont il colla le canon de sa kalachnikov sur son front. Il nous répétait : « French life but Somalian dead. » Florent, alors, fut véritablement troublé, il tenta de le calmer : en France, même en prison, il aurait à manger, il pourrait apprendre un métier... Rien à faire, il dut se résigner et m'enjoignit de protéger Colin : si « Émail Diamant » était sur le point de se suicider dans le lit

de notre enfant, mieux valait lui épargner ce spectacle horrible. Rien de tel, pourtant, n'advint. La nuit
bientôt fut totale, l'énergie n'était plus suffisante
pour faire fonctionner la VHF, la frégate s'éloigna
et nous nous retrouvâmes, les cinq coéquipiers, dans
la cabine arrière. Je luttais pour ne pas m'endormir,
craignant toujours une exécution durant notre sommeil. Étrangement, les pirates, quant à eux, semblaient
croire encore à une issue heureuse. Jaama avait ral-
lumé son GPS qui indiquait que nous filions à trois
nœuds vers la côte : un signe inespéré, pour lui qui
n'avait aucune notion des courants marins. Il crut,
je pense, qu'il arriverait en Somalie. Il s'efforça alors
de regonfler le moral de « Luna » et du « Pêchou »,
allant même, me semble-t-il, jusqu'à les intimider.
Quant à nous, il menaça clairement de nous tuer tous
s'il arrivait quoi que ce soit à l'un de ses hommes.

Ce soir-là, je vidai les coffres de leurs dernières
tablettes de chocolat et en offris une aux pirates. Ils
passèrent la nuit tous les cinq sur le pont, et je me
demande encore à quoi ils pouvaient bien penser.

LE VENDREDI, à l'aube, les frégates étaient revenues,
l'une restant toujours en retrait. Les négociations
avaient repris de plus belle, mais nous ne pouvions
les suivre que de l'intérieur. Les jours d'avant, les
pirates fermaient toujours les hublots de peur que
l'on s'échappe ; à présent ils les laissaient constamment ouverts pour mieux nous viser si besoin. Au
cours de leurs tractations, Florent comprit que les
militaires proposaient d'échanger « la mère et l'enfant »
et, pour les aider à convaincre Jaama, il tenta de faire

croire que Colin avait besoin de soins. Je ne pouvais ni ne voulais envisager de laisser Florent seul. Un zodiac, pourtant, resta longtemps à mi-chemin entre la frégate et nous, tentant de parlementer avec Jaama pour nous laisser partir, Colin et moi.

Nous doutions fort que ces négociations mènent à quelque chose. Florent restait cependant fixé sur l'idée que Colin puisse quitter *Tanit* en compagnie du médecin de l'armée, à bord d'un zodiac intermédiaire. Je l'écoutais attentivement et, en même temps, il me paraissait impossible de quitter le bateau de cette manière. Colin se montrait fort agité, cela faisait maintenant sept jours que nous devions le maintenir en place, faisant en sorte qu'il ne pleure ni ne crie, tant nous avions peur de stresser davantage les pirates. Depuis trois jours, nous étions tous contraints de rester dans la cabine arrière, soit quelques mètres carrés pour trois grands gaillards, un petit loulou et sa maman. Les draps étaient imbibés de sueur, nos corps ruisselaient, l'espace et l'air nous manquaient un peu. Florent aurait tant voulu que Colin joue le jeu du malade, pour aider aux négociations. Mais Colin était en pleine forme, il jouait, criait, riait... et nous lui répondions par l'énervement. C'est une des premières choses que je dirais à Colin par la suite : son attitude à ce moment-là n'était pour rien dans le déroulement des événements, nous n'étions pas en colère contre lui mais totalement épuisés.

Nous étions seuls tous les trois dans la cabine arrière, puisque Dorian et Steven étaient maintenus à l'avant depuis le matin ; c'est donc séparément que nous avons vécu notre dernière journée de captivité.

Nos contacts avec les militaires présents sur la zone ne furent guère nombreux. Florent leur parla à une ou deux reprises, rapidement, à la VHF, et chaque fois la conversation fut identique. L'homme à l'autre bout du combiné demandait si nous allions bien, si nous avions suffisamment d'eau et de nourriture, combien étaient les pirates et de quelle manière ils étaient armés. Enfin, il tentait de nous rassurer en nous disant qu'ils étaient là, qu'ils ne nous lâcheraient pas. Les mêmes échanges, inlassablement. Comme le médiateur insistait pour savoir ce dont nous manquions, Florent réclama des cigarettes.

Les heures s'égrenaient, dans une atmosphère étouffante. Nous savions pertinemment que si l'armée était venue jusqu'à nous, c'est qu'elle comptait intervenir. Aucun de nous n'avait effectué son service militaire, nos certitudes se réduisaient à des suppositions et notre méconnaissance des forces militaires françaises nous rendait à cette évidence : nous, individus lambda, ne pouvions imaginer l'ampleur de ses capacités d'intervention.

Après la discussion à la VHF, le zodiac s'approcha de *Tanit*. À son bord, se trouvaient le médiateur et le traducteur, non armés. Ils parvinrent à se mettre bord à bord, mais Jaama, très méfiant, restait sur ses gardes. En se tenant debout sur notre lit, Florent laissait dépasser tout le haut de son corps par le hublot, ce qui lui permettait de s'adresser de vive voix aux deux hommes, qui n'étaient qu'à deux mètres de lui.

Les nouveaux venus échangeaient en somali avec Jaama tandis que l'un d'eux tendait en même temps des palettes de boissons gazeuses, des cigarettes, de l'eau, du riz, des conserves et des petits gâteaux à Florent. Ils insistèrent pour que tout le monde sorte fumer dehors. Florent leur demanda brièvement si nous pouvions boire l'eau ou si elle était destinée aux pirates et, comme il fallait le prévoir, Jaama s'énerva, ce qui poussa Florent à conclure, à l'attention des militaires : « Ils sont vraiment trop cons ! »

Je profitai de leur présence pour sortir, moi aussi, la tête du hublot et fumer une cigarette – ce qui me permit d'échanger quelques regards avec les militaires. Parlant fort pour qu'ils m'entendent, j'intimai à Colin de se rendre dans sa cachette. Florent et moi allumions cigarette sur cigarette, agissant ainsi pour bien montrer nos visages et tenter de nous détendre.

À la fin de la journée, nous étions tous dans un état d'épuisement psychologique profond, dû à la présence continuelle et rapprochée des militaires. Les négociations engagées au lever du jour n'avaient abouti à rien. La voix de la France proposait de l'argent aux pirates, ainsi qu'un bateau pour regagner la côte. Mais pourquoi les Somaliens auraient-ils accepté un tel marché ? Même dans le vif de l'action, même sans le moindre recul, nous avions suffisamment de lucidité pour savoir qu'ils ne pouvaient que refuser l'offre. Je dis souvent, à propos des pirates, qu'ils étaient bêtes, car ignorants et sans éducation, mais cela ne faisait pas d'eux des individus stupides, et c'est une différence majeure. Deux frégates cernaient maintenant *Tanit*, une troisième se tenait en retrait ; comment les pirates somaliens auraient-ils pu atteindre la terre sans risquer leur vie ? Personne ne pouvait exclure qu'ils eussent par ailleurs entendu parler des libérations du *Ponant* et du *Carré d'As*. Avec Florent, même si nous ne comprenions pas toute la teneur des paroles échangées entre le chef et le traducteur, nous pressentions l'imminence de l'assaut.

Je ne sais pas comment expliquer cela, et peut-être est-ce l'un des « points forts » de l'armée française : nous ne voulions pas avoir affaire à elle, nous refusions cette violence et pourtant, comme nous avions atteint un point de non-retour et que la situation était entièrement bloquée, nous attendions l'attaque, presque avec impatience.

La fin de la journée approchant, les échanges se firent plus rares entre pirates et militaires ; Florent était allongé sur notre lit tandis que j'étais tapie dans notre cachette avec Colin. Je lui lisais une histoire quand Florent m'interpella, et me fit lever les yeux de ma page : « Tu es merveilleuse ». Il ajouta : « N'oublie pas, Colin c'est moi. » Puis il demanda à son petit garçon de grimper sur la couchette et le serra fort dans ses bras. J'entendais qu'il lui murmurait des mots doux, des mots d'amour. Enfin, il attrapa son doudou, le pressa contre son visage et le huma intensément. Après cela il m'expliqua que nous devions changer de cachette car il craignait, en cas d'assaut, que les pirates viennent tirer là sachant que nous y étions. Il préférait que l'on s'installe près de lui sur le lit ; ce que nous fîmes.

J'observai mon mari ; son teint doré, ses cheveux longs et sa barbe éclaircis par le soleil laissaient apparaître des reflets blonds. Il était torse nu, vêtu d'un simple pantalon noir, et ses lunettes de soleil, qu'il portait sur la tête, dégageaient son front. Depuis quelques heures, je le devinais enchaîné par son statut de Capitaine : il aurait voulu agir, mais se sentait impuissant car les militaires ne lui avaient donné aucune clef. De mon côté, je tentais de l'apaiser, le priant de leur faire confiance, je me souviens de lui avoir dit : « Bon, malgré tout ce que nous pensons de l'armée, il s'agit ici de soldats d'élite. » J'étais calme en apparence, trop calme pour que mon état n'ait pas déjà cédé à une espèce de résignation. Notre avenir était incertain ; Florent craignait de nous voir mourir, je craignais de le voir mourir. Alors, inconsciemment, je me persuadais que si nous mourions, ce serait ensemble. En théorie, j'avais raison de penser ainsi : si un pirate avait voulu nous exécuter, Colin, Florent et moi, durant les trente secondes qui séparèrent les premiers tirs venant de la frégate de l'arrivée des commandos, il aurait pu le faire, aisément.

C'ÉTAIT LA FIN de l'après-midi, le soleil brillait encore. Dans la cabine, je lisais une histoire à Colin, comme si de rien n'était, quand le premier coup de feu retentit depuis la frégate. Instantanément, Florent me dit : « Ça y est, grouille-toi ! » Il était à ma droite et insistait pour que Colin et moi nous cachions sous le matelas. Mais il y avait un tel désordre dans notre cabine, sur le lit, et puis le matelas était si lourd... J'étais comme paralysée. « Mais putain, grouille-toi ! », me répétait Florent. Nous étions tous les trois assis sur le lit de la cabine arrière, blottis dans l'arrondi de la coque bâbord. Colin était à ma gauche, coincé entre la cloison des toilettes et moi, le seul à être vraiment sous le matelas.

Notre cabine était séparée du carré par une petite coursive[1], puisque le cockpit l'isolait du reste du bateau. Nous étions comme excentrés, et ne pouvions voir, depuis notre cachette, plus loin que la penderie dans la coursive. Je savais que si un pirate voulait nous exécuter, il devait obligatoirement entrer par cette coursive, et ne pouvait nous viser sans que je ne le repère. Puisque les militaires tiraient sur le pont, les pirates ne pouvaient nous atteindre que de l'intérieur. J'avais attrapé une bouteille de vodka en verre, vide, et la tenais fermement par le goulot. Mon idée, aussi fantasque fût-elle, était de tout faire pour dévier le canon si par hasard j'en apercevais un.

Les coups de feu éclatèrent en nombre, j'en comptai une dizaine ; le bruit était intense car chaque balle sifflait. Certaines vinrent heurter la barre en inox ou les montants des hublots, qui résonnaient sous les chocs.

Entre le premier tir et le moment où nous avons quitté *Tanit*, deux minutes ont dû s'écouler tout au plus, mais dans mon souvenir je revis ce moment comme si le temps s'y était arrêté.

Une trentaine de secondes après le premier coup de feu, nous aperçûmes par nos hublots des commandos monter à bord. J'en distinguai un, tout particulièrement, et mon regard se détacha de sa cible première. En voyant cet homme armé et tout de noir vêtu débarquer, posté au-dessus de nous, j'ai pensé que nous étions sauvés.

1. Couloir.

Florent dut le penser aussi, tout comme il dut songer au sort de nos amis. La disposition de notre cabine, sa couleur très blanche, lumineuse même, au moment de l'assaut, joua un rôle clef dans ce qui s'est déroulé par la suite. Sa forme en ogive épousait tout l'arrière du bateau. Le lit y prenait presque toute la place, le matelas longeant la coque. Seule la partie tribord, lorsqu'on y pénétrait par la coursive, était hors lit ; quatre hublots rectangulaires et deux ronds en faisaient le tour. Un grand hublot d'un mètre carré, se dressait, grand ouvert, juste au-dessus du matelas.

Me pensant protégée des tirs provenant du pont, puisqu'il était désormais sécurisé, je repris naturellement « mon poste », serrant plus fort encore ma bouteille. Je remarquai soudain que Florent détachait son dos de la coque pour s'avancer sous le hublot, et lever les bras en parlant. Je le vis désigner l'avant du bateau et crier : « À l'avant, putain ! À l'avant, ils sont tous à l'avant ! » À cet instant nous ignorions qui était mort ou vivant. Puis il y eut ce « Oooh ! » que seuls ceux qui connaissaient Florent peuvent entendre : il avait compris qu'il était visé mais ne croyait pas à la possibilité du tir et l'exprimait clairement par son intonation de voix. Alors il tomba sur mes jambes, le dos vers moi. Concentrée, je ne voulais pas quitter des yeux la coursive, persuadée que Florent avait fait un malaise. Je lui tapotais le dos en l'appelant : « Florent, Florent... » L'instant d'après, sans que j'eusse le temps de comprendre quoi que ce soit, un commando se tenait face à nous, nous visant et criant. Je peinai à discerner ses yeux à cause de son encombrant équipement. Je levai aussitôt les mains : « C'est nous, c'est nous, mon fils, mon mari. » L'homme articula dans sa radio qu'il avait « la femme et l'enfant », et nous attrapa aussitôt.

En me relevant, je vis le sang. Jamais de ma vie je n'ai hurlé si fort : « Infirmier ! Infirmier ! » On m'extirpa rapidement de la cabine alors que j'aurais voulu rester auprès de Florent ; Florent ne s'était pas évanoui, il était blessé.

Lorsque nous traversâmes la coursive et atteignîmes la descente, je découvris le chaos qui avait emporté notre bateau. Un bref instant j'inspectai ces lieux, autrefois rassurants et familiers, mais où je ne voyais soudain plus que des cadavres, du sang, et encore du sang. Quelques secondes s'écoulèrent entre la fin des tirs et notre fuite hors de *Tanit* ; ma tête résonnait du bruit des balles tandis que l'odeur de la poudre s'insinuait en moi.

Au pied de la descente, un commando saisit notre fils et le hissa au-dehors du voilier. La seconde d'après j'étais à mon tour accroupie dans un énorme zodiac de la Marine, Colin serré tout contre moi. Mes trente dernières secondes sur l'océan Indien, sûrement celles de Florent aussi... Notre dernier coucher de soleil.

CE 10 AVRIL 2009, je vivais mes derniers instants dans ma maison. Mes pensées, en désordre, allaient à Florent. Son cœur battait-il encore ? Entendait-il mes cris ? Savait-il que pour la dernière fois nos deux cœurs battaient à l'unisson ? J'étais loin de me douter de l'issue réelle des événements, je hurlais avec mes tripes : « Infirmier ! Infirmier ! » De l'ultime regard que je portai à *Tanit*, mon cerveau ne conserva qu'une couleur : du rouge, du rouge, et encore du rouge. Deux pirates jonchaient le sol, un semblait mort, l'autre blessé. Sans avoir le temps d'y réfléchir, je me retrouvai accroupie dans un énorme zodiac noir de la Marine nationale. Colin était-il alors dans mes bras, ou juste près de moi, je ne saurais le dire. À bord, nous étions nombreux, mais je ne voyais ni Steven ni Dorian. Tous mes repères se noyaient dans notre sillage, je ne pensais plus à rien, glissant brusquement dans une autre dimension. Je vivais mes derniers instants sur l'océan Indien et j'étais seule, sans mon Homme, privée de Capitaine ; j'allais garder un goût amer de ce 10 avril. En moins d'une minute, nous pénétrâmes les entrailles de la frégate qui paraissait être, à côté de *Tanit*, un véritable monstre d'acier. Une trappe dans la coque était ouverte, prête à nous avaler. La première chose qui m'interpella dans ce nouvel univers fut le bruit sourd des machines. Je déambulai dans les coursives, franchissant différents niveaux, ne sachant ni où j'allais, ni même qui je suivais. Il y avait bien un guide devant moi, mais je ne le voyais pas, son image me revenait comme floue. Un seul visage s'imprégna en moi dans ce sombre labyrinthe, celui d'un commando. Il était à découvert. Je devinai qu'il revenait lui aussi de *Tanit*, pas seulement à son équipement, mais au regard empreint d'empathie qu'il me portait. Je comprenais qu'à cet instant il partageait la violence de ces moments avec moi. Il n'y eut pas d'échange entre nous, j'en aurais été incapable, et je crois qu'il s'en est aperçu à mon regard perdu.

Sur *Tanit* je n'ai croisé que des regards car ces hommes opèrent cagoulés, avec un casque et une visière. Une seule indication à retenir d'eux : le noir de leur tenue.

Notre accompagnateur nous fit entrer dans une cabine ; ce qui me frappa tout de suite, en plein cœur, c'était qu'elle était aménagée pour nous cinq. La place de Florent était prête, elle l'attendait. Colin était nu, mais une jeune fille de l'équipage lui apporta gentiment un tee-shirt bleu marine trop grand, et une peluche : nous avions quitté le voilier sans Doudou. Puis quelqu'un vint me demander ce qu'il pouvait faire pour Colin. Songeant à nos dernières discussions sur *Tanit*, je répondis : « Un jeu vidéo ». Quelques minutes plus tard, le marin revint vers nous avec une console, une Nintendo DS, me semble-t-il. Je le remerciai vraiment car j'étais incapable de m'occuper de mon fils.

Je ne me souviens plus si Steven et Dorian sont arrivés quelques minutes avant ou après nous. Peu importe, ils étaient là maintenant.

Un homme se présenta comme un médecin militaire : il ne faisait pas partie de l'équipage de l'*Aconit* – c'était donc le nom de la frégate sur laquelle nous nous trouvions –, mais il était là pour nous aider, et nous suivre. Je ne me rappelle plus son nom ; il n'a pas laissé de carte par la suite. Il avait les cheveux rasés, n'était pas très grand mais musclé, la quarantaine. Je crois me souvenir qu'il était habillé en civil. J'étais obnubilée par Florent, ne pensant qu'à lui, m'imaginant déjà à son chevet à prendre soin de lui.

Le médecin m'informait qu'il était grièvement blessé à la tête, mais que des médecins de confiance s'occupaient de lui ; je voulais y croire.

Il m'expliqua aussi qu'ils avaient eu très peur pour Colin, craignant qu'il souffre de déshydratation. Je ne sais s'il perçut un agacement dans ma voix – je tentais de le contenir – mais je lui expliquai que Colin avait bu suffisamment pour ne courir aucun risque. J'aurais peut-être pu deviner à cet instant qu'eux tous nous avaient pris pour des inconscients, mais je fus juste énervée qu'ils aient pu croire que nous ne nous occupions pas convenablement de notre fils.

Je me rendis compte que Colin avait un peu de sang sur les bras, et que tout le bas de mon pantalon en était également recouvert. Je sentis alors que je perdais pied, submergée par l'irréalisme de la situation ; ce moment sonna pour moi le début de l'enfer. J'étais pourtant censée en être sortie ? Nous devions être libres, ensemble, sains et saufs. Pourquoi sombrer soudain dans un gouffre plus profond encore que celui dont nous étions à peine remontés ? Aux militaires qui étaient présents, au médecin et à la jeune fille entre autres, je dis, apeurée : « Ce n'est pas possible tout ce sang... Il ne pourra jamais s'en sortir ! » La jeune fille me proposa gentiment d'aller me laver. Elle me conduisit à la salle des douches, me donna du savon, du shampoing et des vêtements de rechange, ou plutôt une combinaison de travail de la Marine. Elle continuait à me parler pendant que je me séparais, sous la douche, du sang de Florent. Je me sentais chavirer mais avec des mots simples elle s'efforçait de me tenir éveillée : « Ça va aller, ne vous inquiétez pas. » Elle était toute jeune, parlait avec l'accent du Sud, et fut le seul rayon de soleil à percer les abîmes où je m'enfonçais. Quand nous sommes revenues dans la cabine, Colin jouait avec la DS, et je me suis assise sur une chaise. Le médecin, lui aussi, se tenait assis face à moi. Je perçus dans son regard un certain changement, alors je pris la parole la première : « Si vous savez quelque chose, il faut me le dire, cela ne sert à rien d'attendre. » Il lui fallut quelques secondes pour rassembler son courage et prononcer ces mots qui à jamais résonneront en moi : « Florent est mort. Nous n'avons rien pu faire malgré nos efforts. »

Je me suis levée en hurlant : « Non, Non ! »

Je me suis dirigée vers la porte, je voulais sortir de ce monde qui n'était pas le mien.

Ce n'était pas ma vie, juste un cauchemar dont j'allais me réveiller. Mais à peine avais-je pressé la poignée qu'une main ferme m'attrapa ; un militaire avait aussitôt ordonné de ne pas me laisser sortir. Je m'effondrai contre la porte, et ne repris mes esprits que parce qu'il fallait faire face, et vite. Les paroles de Florent vibraient en moi : « N'oublie pas, Colin c'est moi. » Et Colin était là, qui m'observait : « Colin, mon chéri, Papa est mort. » Il m'a fixée longuement, comme pour sonder mon regard et la véracité de mes propos, puis il s'est remis à jouer. Du moins restait-il concentré sur l'écran, en répétant, plusieurs fois, de sa petite voix : « Mon papa est mort. » Un jeune militaire, à mon côté, m'expliqua qu'il avait lui-même perdu son père à l'âge de six ans, qu'il fallait laisser faire Colin, que c'était sa manière d'assimiler la nouvelle. La douleur pour moi n'en fut que plus vive, il martelait cette information que je refusais d'admettre. Steven me proposa de l'emmener faire un tour et je les regardai partir tous les deux, tandis qu'un homme approchait, se présentant comme le commandant de l'*Aconit*, Guillaume Goutay. Quand il demanda si je souhaitais boire quelque chose, je réclamai un verre de whisky ou de tout autre alcool un peu fort. Il m'apporta finalement du vin, et m'accompagna. Il y avait des vivres aussi, mais aucun d'entre nous n'avait faim. Soudain, je fus prise d'un sentiment étrange, que je ne saurais expliquer, je ne voulais plus que Colin soit seul avec Steven et demandai à Dorian d'aller le chercher tout de suite.

Le téléphone de la cabine sonna et on me passa Monique, la maman de Steven. Je lui dis en pleurant : « Ne vous inquiétez pas, Steven va bien », elle me répondit qu'elle savait, qu'elle n'était pas inquiète pour lui, mais pour moi. À cet instant, les garçons revinrent et je tendis le combiné à Steven. C'était mon premier contact avec l'extérieur et je pris conscience que tout le monde connaissait déjà la funeste nouvelle. Je décidai donc d'appeler à Saint-Armel, chez les parents de Florent. C'est Raoul qui me répondit ; il appela Marie, à qui je ne savais plus quoi dire. Je voulais lui demander pardon, lui dire que tout cela était ma faute... Marie tentait de me rassurer avec des mots calmes, ils nous attendaient tous, je devais m'accrocher...

Le commandant me posa maintes questions, cherchant à savoir ce qui s'était passé à bord. Les réponses que j'ai données ce jour-là ont formaté en grande partie, me semble-t-il, les événements qui ont suivi. Il voulait savoir ce que j'avais vu, si je pouvais affirmer qui avait tué Florent. J'étais complètement perdue, tout ce qui m'importait, c'était qu'il était mort, alors je répondais machinalement à ces gens, sans jamais être avec eux. Quand le commandant émit l'hypothèse d'une balle perdue, j'eus l'inconscience, et le malheur sans doute, de répondre d'un « oui, peut-être ».

J'étais plongée dans un abîme dont l'absurdité me dépassait. Tout me disait qu'il ne s'agissait ni d'une balle somalienne ni d'une balle perdue, mais je ne pouvais brandir ce genre d'accusation sans recul, je n'avais pas vu « le tir ». J'avais du mal à concevoir qu'une telle erreur de la part de l'armée pût être possible.

Je me rendrais vite compte de mon tort car la hiérarchie militaire prit certainement note de mon hésitation. Elle allait permettre d'arrondir un peu les angles, leur éviter d'avouer la bavure, comme cela aurait dû être fait.

Et en effet, quelques minutes plus tard, en discutant avec Steven et Dorian et en croisant ce que chacun de nous avait pu voir, il était clair qu'aucun pirate n'avait pu tirer sur Florent. Quand je voulus modérer mes propos, M. Goutay et le médecin déclarèrent d'une seule et même voix qu'une balle de kalachnikov avait pu traverser la cloison avant d'atteindre mon mari. Les pirates auraient tiré du carré vers la cabine, faisant fi des cloisons, et je n'aurais rien vu ? Rien entendu ? C'était impossible. Je suis convaincue, hélas, que ce que j'ai dit à bord de l'*Aconit* a modelé la communication autour de notre libération.

JE DEMEURAI LONGTEMPS assise sur ce lit, mon verre de vin à la main, hagarde. Je vivais ces instants en me disant que ce n'était pas moi... Le commandant eut la gentillesse de faire débrancher le détecteur de fumée afin que nous puissions déroger à la loi et d'allumer des cigarettes. Je serais bien allée sur le pont, mais il ne voulait pas m'en donner l'autorisation. Sur le moment, mon interlocuteur prétextait qu'une sortie n'était pas envisageable, « pour des raisons de sécurité ». Je pense qu'il souhaitait surtout nous tenir à l'écart des gens du bord. D'autant que la plupart des hommes qui participaient à l'opération de libération de *Tanit* faisaient partie des Forces spéciales et devaient donc rester anonymes.

Les Forces spéciales sont des unités capables de mener, de façon autonome, des opérations d'une durée pouvant aller de quelques heures à plusieurs semaines, dans un contexte hautement hostile. En temps de paix, elles aident le pouvoir politique à assurer le règlement des situations de crise qui ne trouvent pas de solutions par voie diplomatique ou par des actions militaires classiques. En temps de guerre, leur emploi s'inscrit dans un cadre stratégique pour apporter une contribution majeure à la victoire.

Le Commandement des opérations spéciales (COS) est placé sous les ordres du chef d'état-major des armées (CEMA) afin de rassembler l'ensemble des Forces spéciales des différentes armées françaises sous une même autorité opérationnelle, permanente et interarmées. En avril 2009, le COS était commandé par le contre-amiral Marin Gillier, lui-même sous l'autorité du général Jean-Louis Georgelin.

Les Forces spéciales françaises comprennent, entre autres, six groupes de commandos marine, cinq sont établis à Lorient et un à Saint-Mandrier. Sont intervenus, ce 10 avril, les hommes du commando Hubert et certainement ceux du commando Jaubert ou Trépel. Ils travaillent tous sous couvert d'anonymat, rares sont ceux qui connaissent leurs visages et leurs noms et qui peuvent les mettre en lien avec leur fonction.

Des militaires vinrent une première fois me demander ce qu'ils pouvaient récupérer à bord de *Tanit*. Mais c'était Florent, c'était le Capitaine, qui devait tenir ce rôle. Moi, je n'étais pas prête, je demeurais confuse... Peut-être bien le sac, celui que j'avais préparé, et puis l'ordinateur que j'avais dissimulé à bâbord, dans un coffre. Mais la chose à laquelle je tenais absolument, c'était le Doudou de Colin ; la peluche de mon fils fut mon unique préoccupation. J'expliquai aux militaires qu'elle se trouvait dans la cabine arrière. Pour le reste, rien n'avait plus d'importance.

Ils me questionnèrent aussi sur les pompes de cale : les marins avaient repéré des infiltrations d'eau. Je pensai aussitôt à la fuite de l'évier et leur dis de ne pas s'inquiéter. Peu de temps après, ils revinrent avec un Doudou trempé. Comme moi, il avait été tout près de Florent ; comme moi, il avait été recouvert de sang. Les militaires l'avaient aussitôt nettoyé et je me contentai de dire à Colin que Doudou avait été mouillé sur le zodiac.

Ils me reparlaient des pompes, insistaient, m'informant qu'il n'était pas simplement question d'une fuite d'eau douce, et que notre voilier prenait vraiment l'eau. J'étais là, sur l'*Aconit*, avec mon fils et quelques bagages, mon mari gisait quelque part, seul, et *Tanit* coulait. Alors je sombrai plus profondément encore, laissant mon pilote automatique se mettre en route et leur expliquer l'emplacement des pompes et leur fonctionnement.

Je n'avais pas idée de ce qui se tramait « chez moi » ; l'eau de mer s'infiltrait partout, imbibant nos affaires tandis que les hommes des forces armées terminaient leur mission. Durant les négociations, les pirates les auraient menacés de faire sauter *Tanit*, les soldats vidaient donc tous les coffres et fouillaient le bateau de fond en comble afin de s'assurer qu'aucun explosif n'y avait été dissimulé.

Une heure ou deux après notre arrivée sur la frégate, M. Goutay nous demanda si nous souhaitions voir Florent. Dorian voulait peut-être « être sûr », alors il partit devant, mais ne resta que peu de temps. Steven demeura avec Colin tandis que je sortais dans la coursive, accompagnée de deux hommes. Je remarquai une petite croix, accrochée à la veste de l'un d'eux, et compris tout de suite qu'il était l'aumônier du bord. J'aurais voulu lui demander de partir, mais je n'en eus pas le courage, alors je le priai doucement : « S'il vous plaît, ne dites rien, ce serait pire que tout. » Il acquiesça d'un regard compréhensif.

Nous descendîmes une échelle et je me retrouvai dans une coursive, froide et bruyante, face à mon mari, qui avait définitivement cessé de respirer. Il était allongé sur un brancard, un drap blanc remonté jusque sur son torse nu. Ses mains étaient croisées sur son ventre et on avait pansé deux de ses doigts. Je posai ma tête sur sa poitrine, le caressai : son corps était encore chaud, et si j'avais fermé les yeux, j'aurais pu croire qu'il dormait. Mais si je l'avais fait, je n'aurais plus jamais voulu le quitter, j'aurais franchi un cap dont on ne revient pas. J'avais envie d'embrasser sa bouche, son visage, or un filet de sang coulait obstinément de son oreille droite, comme pour me rappeler qu'il était bel et bien mort. Sa bouche était légèrement entrouverte et un pansement dissimulait sa blessure à l'œil. Je ne réussis pas à lui dire au revoir ce jour-là, me contentai d'un pardon, d'un « je t'aime » et repartis comme si le mauvais film allait s'arrêter.

TOUT ÉTAIT PRÉVU pour que nous rentrions à Djibouti avec l'*Aconit*, mais vu la tournure des événements, nous fûmes rapidement informés d'un changement : nous allions quitter le bord en hélicoptère. Nous sortîmes donc de la cabine, traversant à nouveau des coursives, montant ou descendant des échelles. Comme à l'arrivée, j'avançais sans vraiment avancer, je croisais les gens sans vraiment les voir. Je marchais pieds nus, vêtue de ma combinaison bleu marine, mon fils dans mes bras et un sac en plastique avec mes vêtements lavés à la main ; j'étais totalement paumée. Nous entrâmes dans un hangar ouvert, sur la dernière plate-forme avant la piste, et je me souviens de la brise de l'océan, du son de la mer ; il faisait nuit. Une idée fantasmagorique traversa mon esprit vide : sauter, tout arrêter là, rester avec mon fils dans l'océan Indien.

Un homme d'un certain âge s'approcha de nous, se présentant comme le commandant des opérations, Paul-Henri Desgrées du Loû. Son visage très marqué me laissa imaginer qu'il avait eu des moments difficiles dans sa carrière, ou dans sa vie. Son regard, bleu me semble-t-il, était très sombre. Après de rapides condoléances, il nous somma de rester discrets sur notre libération, nous recommandant de ne pas parler aux journalistes et insistant sur le caractère secret de ce genre d'opérations.

M. Desgrées du Loû me présenta le chef de l'opération commando à bord. Je le revois, jeune, plutôt petit, les cheveux clairs et raides et les traits fins. Il dut m'exprimer, d'une voix douce, ses condoléances. Le seul mot que je pus articuler fut un merci. Alors Dorian s'adressa à lui, il souhaitait savoir si la prise d'otages et l'assaut avaient été médiatisés en France. « Non, non, pas trop », répondit vaguement l'homme, la question lui paraissant certainement saugrenue. Quand nous fûmes au pied de l'hélicoptère, Colin s'en trouva très impressionné et, malgré les événements qu'il venait de subir, il fut content d'y monter. Moi, j'étais lasse, désemparée, j'aurais voulu m'évanouir.

L'hélicoptère décolla aussitôt, et nous vîmes s'éloigner sous nos pieds les reflets argentés de l'océan sous la pleine lune. J'aurais aimé laisser s'attarder mon regard sur *Tanit* une dernière fois, mais je ne discernais que la mer. Dans cet hélicoptère, comme dans la cabine un peu plus tôt, l'une des places restait désespérément vide. Le médecin semblait veiller sur nous, tel un ange gardien, comme tous ceux – y compris les pilotes de la machine – qui nous accompagnèrent un petit bout de chemin.

Colin ne tarda pas à s'endormir ; j'étais perdue dans mes pensées, mes yeux ne quittant pas la mer qui défilait autour de nous. L'idée d'ouvrir cette porte et de me jeter avec Colin me saisit à nouveau. Comme sur la frégate, l'idée était illusoire, je cherchais seulement la sortie, et vite. Plus je m'éloignais de Florent, et de *Tanit*, plus ma vie semblait s'effriter.

Nous avons rejoint Socotra après une heure de vol, à peine.

J'étais séparée de Florent pour la première fois depuis son décès. J'avais eu du mal à quitter l'*Aconit* sans lui ; notre départ fut un déchirement. Son absence est toujours une douleur saisissante, étouffante au quotidien, c'est pourquoi je la désigne souvent comme une amputation. Quand on m'a annoncé que nous partions sans lui, ce fut comme un réveil douloureux après opération : j'avais perdu un organe, il me faudrait désormais apprendre à vivre sans, et je ne m'en sentais pas capable.

Il faisait encore nuit quand l'hélicoptère atterrit à Socotra et, hormis le gros avion militaire français qui nous attendait, la piste était quasiment déserte. Le médecin m'expliqua que depuis le début des opérations cet appareil était prêt à décoller à tout moment, dans le cas d'une évacuation sanitaire, par exemple. Un des pirates, blessé, devait d'ailleurs embarquer avec nous. Lorsque nous sortîmes de l'hélicoptère, Colin ne s'est pas réveillé. J'allai donc l'installer dans l'avion, puis le laissai en compagnie de Dorian, avant de redescendre sur la piste.

Le transit à Socotra ne dura que le temps, pour Steven et moi, de fumer deux ou trois cigarettes sur le tarmac. J'étais assise en tailleur, à quelques mètres devant le nez de l'avion. Le sol et l'air étaient chauds. Un militaire français nous indiqua que la zone avait dû être sécurisée, d'où leur présence en nombre autour de nous, ainsi que celle de soldats yéménites, un peu en retrait. Socotra est une île yéménite dont la population est très métissée ; craignaient-ils les représailles d'éventuels groupes de pirates ?

Nous fumâmes cigarettes sur cigarettes, sans trop parler, jusqu'à ce que l'on nous demande de monter à bord. De cette île, paraît-il magnifique, nous n'aurions connu qu'une parcelle de tarmac.

Je discutai vaguement avec le médecin avant le décollage, tentant de parler de choses et d'autres, je l'écoutais me raconter que ses camarades et lui avaient dû donner de l'argent de leur poche pour payer un bakchich aux militaires yéménites. Il précisa que ce genre de déconvenues faisait partie de la face non contrôlable de toute opération, et que ces frais-là n'étaient jamais remboursés. Seulement, cette pratique étant courante et souvent incontournable dans certains pays, ils avaient dû céder les quelques billets exigés pour pouvoir décoller.

Le vol jusqu'à Djibouti ne fut pas très long. Je laissai mon esprit divaguer malgré le vacarme ambiant. Pendant toute la durée du vol, j'observais les draps blancs tendus faisant office de chambre de soins, et je pensais à « Émail Diamant ». Je l'imaginais derrière ce voile, étendu sur un brancard. J'aurais voulu aller le voir, lui parler, lui dire que Florent était mort, que s'il l'avait écouté, lui-même ne serait pas là, blessé et prisonnier.

À notre arrivée, nous fûmes accueillis par plusieurs personnes, certainement des militaires et des membres de l'ambassade. La base où l'on nous conduisait n'était qu'à quelques minutes de voiture ; on nous informa que nous serions logés au sein de l'infirmerie, sur une base de l'Armée de l'air. Je peinais à croire que j'étais de retour à Djibouti, sans Florent, et si proche de l'endroit où nous avions mouillé le mois précédent.

L'irruption des pirates à bord de *Tanit* avait considérablement entaché la quiétude de notre cocon ; mais l'*Aconit* puis maintenant ce lieu finirent définitivement de m'arracher à mon nid.

Je ne cessai de penser à Florent et à la vie si douce que nous menions en mer. Florent me manquait à en mourir, l'horizon et le bruissement de l'océan qui court sur la coque me rendaient mélancolique. J'aurais tant donné pour être à nouveau avec mon Homme, par une brise nocturne, allongés sur le pont à contempler les étoiles.

Une chambre avait été préparée pour notre venue, la place de Florent restée vide, une fois encore. Tout un tas d'affaires avaient été apportées à notre intention, beaucoup de choses pour Colin comme des vêtements, des livres ou des crayons de couleur. Les militaires avaient redoublé d'attention à notre égard, souvent à titre personnel, pour que nous ne manquions de rien. Colin fut chaleureusement accueilli et soutenu par le personnel présent.

À peine installée, j'ôtai les vêtements de la Marine pour enfiler le pantalon de Florent, celui que je portais au moment de l'assaut. Je crois que Dorian et Steven ont accepté d'avaler un anxiolytique avant d'aller se reposer. Je me suis assise dans la « salle à manger », ne voulant ni médicament, ni sommeil, errant dans mes pensées jusqu'à l'aube, moment où Colin se réveilla.

L'instant devait être étrange pour lui, j'aurais voulu lui dire que le cauchemar était terminé, mais en réalité il ne faisait que commencer.

Colin but un chocolat chaud devant des dessins animés ; il resta un long moment sans parler comme il le faisait d'habitude, le matin au moment de son petit déjeuner. Puis il voulut savoir pourquoi son Papa était mort alors qu'il était gentil. Il voulut savoir où étaient les pirates. Je tentai, comme depuis le début de ce méchant rêve, de lui répondre simplement mais au plus juste.

Ce samedi matin, malgré le monde présent à nos côtés, je me sentais très seule. J'avais besoin de parler à mon meilleur ami, Tony, de lui confier ma souffrance, avec des mots, comme pour mieux y croire moi-même. L'écouter me fit du bien, son désarroi était aussi exacerbé que le mien.

Tout au long de la journée je pus téléphoner à mes parents, à la famille. Puis on me prévint que le président de la République allait m'appeler. Je n'avais aucune envie de discuter avec lui mais ne pouvais faire autrement. J'atteignais le paroxysme de l'absurdité. Que faisais-je là, entourée de militaires, m'apprêtant à m'entretenir avec M. Sarkozy, devant les images de France 24 qui diffusait en boucle des photos et des vidéos du blog en racontant n'importe quoi ?

Je pensais aux rues de Djibouti, au marché, à l'ambiance tonitruante qui régnait non loin d'ici ; il était temps que je retrouve les miens.

Je ne me souviens pas d'avoir dialogué avec le président, je l'ai surtout écouté. Il s'excusait, disait qu'il avait donné l'ordre de lancer l'assaut et qu'il aurait fait les mêmes choix pour libérer sa famille. Il ne voulait pas m'ennuyer non plus, « Madame, prenez le temps de rentrer chez vous, de retrouver vos proches, mais sachez que ma porte est ouverte et que j'aimerais pouvoir m'entretenir avec vous au sujet de votre avenir. »

On nous autorisa, comme dans la frégate, à fumer à l'intérieur. Cette fois encore, ce n'était pas uniquement pour notre confort. Les rares fois où nous sommes sortis dans la cour, ce fut accompagnés et dans une zone surveillée. Les militaires craignaient des fuites ou des indiscrétions au sein même de la base ; que quelqu'un prenne une photo à notre insu par exemple.

Parmi nous, il y avait une jeune psychologue, Mélanie, avec qui Steven et Dorian se sont, je pense, longtemps entretenus. Je ne souhaitais pas être dans l'échange avec elle ; elle fut compréhensive, prenant le peu que je lui accordais pour essayer de me soutenir. C'est également elle qui allait recevoir marins et commandos qui arriveraient de mer d'ici quelques jours. Elle m'expliquait que les femmes de l'équipage étaient très touchées par ce qu'elles avaient vécu près de nous dans l'océan Indien.

Les uns après les autres, nous fûmes rapidement examinés par le médecin de la base, bien que nous ne présentions aucun signe de mauvaise santé. Colin échappa à la visite ; son seul désagrément étant l'apparition de quelques croûtes sur le crâne dues à la sueur. Je ne pensais pas utile de le contraindre à cet examen.

Je refusais toute prise de médicaments, j'avais du mal à m'alimenter et ne m'allongeais sur un lit que pour endormir Colin. Je ne cessais de lui chuchoter que son Papa l'aimait, que j'aimais son Papa, que j'étais malheureuse, que j'étais perdue. C'était peut-être une erreur, mais même dans ces moments de désespoir, j'ai toujours beaucoup parlé à Colin, et je n'aurais su faire autrement.

Nous ne restâmes que vingt-quatre heures dans ces locaux, et pourtant j'ai l'impression que notre séjour a duré des journées entières. Je déambulais, je ne savais que faire, je ne pensais qu'à Florent, je ne voulais que mourir.

Les infirmières et psychologues se montrèrent formidables et généreux avec Colin, et avec moi par la même occasion. J'étais dans l'incapacité de m'occuper correctement de lui ; dès que je le regardais, je pensais à ce que Florent et lui ne vivraient plus ensemble. Je ne pouvais accepter que Colin n'ait plus son Papa, ils avaient besoin l'un de l'autre, nous avions besoin de Florent, seuls tous les deux, nous n'étions plus rien.

Grâce à ces hommes et à ces femmes, Colin joua beaucoup, regarda des dessins animés, se fit chouchouter ; moi, je ne pouvais m'arrêter de pleurer, je me vidais, mon cœur se compressait, la souffrance était trop puissante pour que je puisse faire quoi que ce soit.

Dans la salle à manger trônaient des sacs et des caisses récupérés sur *Tanit*. Je me consolai un peu d'y retrouver les livres et les peluches de Colin, car c'était tout ce qu'il lui restait de sa vie pour le moment. En revanche, devant les palmes de Florent et ses Crocs, que les pirates avaient portées, je replongeai immédiatement dans l'aberration de cette vie où j'entrais bien malgré moi. Pour me ressaisir, je m'inquiétai à nouveau pour l'ordinateur, ne comprenant pas pourquoi personne ne l'avait récupéré. Je tenais essentiellement aux photos enregistrées à l'intérieur, les images de nos cinq années de vie ensemble, et je craignais qu'il ne s'abîme avec l'humidité.

Je me souviens aussi d'être allée consulter mes mails dans un des bureaux, ce que je n'avais pas fait depuis le Yémen. C'est ainsi que je découvris, abasourdie les six cents messages et plus qui m'attendaient. Je me mis à les lire, un par un, en commençant par les plus anciens. Quelques-uns concernaient notre « ancienne vie » ; d'autres avaient été envoyés pendant la captivité ; puis, apparurent comme un martèlement de la réalité, tous les messages de condoléances et de soutien. J'eus à peine le temps d'être impressionnée par le nombre de personnes à manifester leur solidarité que je me retrouvai brutalement face à des propos d'une méchanceté et d'une bêtise affligeantes. Néanmoins, je ne voulus pas les esquiver, je les parcourus tous, y compris ceux qui avaient été « modérés » par l'équipe d'Overblog[1] parce que jugés trop agressifs. Pour la première fois, j'étais seule, je passai donc plus de deux heures devant cet écran, sans cesser de pleurer. Cette confrontation avec la réalité de ma vie me rendant bien plus malheureuse que le venin des « infirmes ».

En Égypte, Florent et moi avions eu de longues discussions au sujet des internautes qui déposent des commentaires « bêtes et méchants ». Cela avait débuté avec un article que j'avais rédigé pour me moquer gentiment de ceux qui aiment afficher leur richesse par la taille de leur bateau. Nous avions tellement ri en observant certains comportements démesurés en Méditerranée, des Baléares à Lampedusa, que cela m'avait inspiré un petit texte. En arrivant à Hurghada, nous avions reçu dans notre boîte mail trois commentaires anonymes, vides de sens et mal écrits, qui se voulaient simplement insultants – l'idée étant, en substance, que si nous avions vu ces riches, c'est que nous étions riches aussi. Florent avait alors rédigé un droit de réponse : si ces gens-là n'avaient rien d'autre à faire que de venir sur notre blog, c'est que, sans doute, leur vie les ennuyait fermement. C'était bien mieux dit car Florent était plus subtil que moi. Désormais le fond de sa pensée me guiderait face à tous ces charognards. Depuis le jour de l'assaut, mon cerveau tournait non-stop, je ne pouvais rien y faire.

En consultant ces messages, je me rendis compte que Florent était décédé le Vendredi saint. Ainsi mon

1. Plate-forme qui héberge le blog de *Tanit*.

humaniste, mon pacifiste, qui n'avait jamais bercé dans aucune religion, était-il mort ce jour-là ? Il devait y avoir une explication, je me persuadai que cela ne pouvait en être autrement. Je m'aggrippai alors à la plus folle des idées songeant : « Florent est l'homme qui peut changer l'histoire, il peut revenir et transmettre un message de paix universel qui ferait abstraction des religions. » J'étais bien consciente que ces pensées n'étaient que des chimères, mais dans mon désespoir je voulais y croire : « Pourquoi pas ? Si j'y pense très fort, si je lui demande ? » Je ne suis pas croyante, et même en ayant risqué la mort, je n'ai pas prié une seule fois. Pourtant, tétanisée et bouleversée par celle de Florent, je me raccrochais bêtement aux miracles. Si le danger ne m'avait pas fait céder à la panique, la souffrance, elle, pouvait me faire basculer dans une autre agitation, encore plus irrationnelle.

Le samedi dans la soirée, on m'annonça notre départ en Falcon pour le lendemain. Mais sans Florent, qui nous rejoindrait plus tard. Ainsi je ne le reverrais pas avant d'être arrivée en France et il ferait le chemin seul ? Je ne cessais de penser à lui, j'avais le sentiment de l'abandonner, et j'étais incapable d'accepter la séparation. Je ne dormis pas beaucoup plus la deuxième nuit. Je ne faisais pas de cauchemars pendant mes courtes phases de sommeil, mais ne pouvais m'empêcher de revenir le reste du temps à la brutalité du décès de Florent. Je cogitais sur la douleur qu'il avait subie, sur les quelques secondes où il s'était vu mourir, et nous quitter, sur la violence de cette balle qui l'avait atteint.

Le matin, avant d'embarquer dans l'avion, nous croisâmes encore des gens, qui nous attendaient dans une salle près de la piste de décollage. Cela ressemblait à une petite réception, au cours de laquelle une vingtaine de personnes vinrent nous serrer la main, transmettre condoléances et encouragements. Colin reçut encore quelques cadeaux pour le voyage.

Aujourd'hui, je ne saurais reconnaître les personnes présentes ce jour-là. J'étais mentalement avec Florent, fixée sur l'idée qu'il allait rester seul, quelque part à Djibouti.

Notre « médecin » fut remplacé par un psychiatre de l'armée, plus austère, qui devait nous accompagner jusqu'à Paris. À la seconde où je le vis, je sus que je ne pourrais lui accorder une once de ma confiance. Au-delà des a priori liés à son apparence et à sa fonction, c'est le regard qu'il portait sur Colin qui influa mon jugement. Je n'aimais pas ce qu'il pensait de nous, et il le pensait tellement fort que cela venait jusqu'à moi.

DEPUIS CE JOUR du 10 avril, je ne suis plus la même Chloé. J'ai pris beaucoup de Florent en moi et ne porte plus le même regard sur la vie. J'essaie de me garder de la bêtise humaine et du jugement de l'autre, sans pour autant me plier au jeu de l'hypocrisie.

Le deuxième accord toltèque[1] énoncé par Miguel Ruiz me fut très utile dans cette démarche : « Quoi qu'il arrive, n'en faites pas une affaire personnelle. » De cette manière, on ôte à autrui le pouvoir qu'on lui a donné de

1. « Les quatre accords toltèques : La voie de la liberté personnelle ».

nous juger, voire de nous nuire. On cesse d'accorder de l'importance à l'opinion de l'autre. On ne dépense pas d'énergie à défendre une image idéale de soi contre les critiques, pas plus qu'on ne cherche à l'alimenter de compliments. Quand on ne prend pas les choses personnellement, on est plus apte à tirer profit d'une opinion ou même d'un jugement, précisément parce qu'on n'y réagit pas : l'échange peut alors être ouvert, constructif, mutuellement enrichissant, même lorsqu'il s'amorce de façon agressive ou violente. Ainsi, je veille à me détacher de ce qui pourrait me nuire inutilement.

Notre vol de retour fut aussi irréel que les événements précédents. Le Falcon royal possède six beaux fauteuils en cuir ; il y avait donc une place pour Florent. Nous refaisions exactement le chemin inverse de *Tanit*, survolant l'Égypte et marquant une escale en Crète, tout près de Gavdos. Au fil des kilomètres parcourus je retraçais l'histoire de notre voyage, fouillant dans mes souvenirs pour ne rien oublier.

Quand nous fûmes arrivés à Héraklion, le regard posé sur le bleu de la Méditerranée, je m'adressai finalement au médecin : « Vous savez, Monsieur, je suis incapable de vous parler car je sais que d'un point de vue personnel nous représentons, par nos choix de vie, tout ce que vous détestez. Et je ne pense pas que vous puissiez vous détacher de ce jugement d'un point de vue professionnel. » L'homme se défendit aussitôt de porter un quelconque jugement sur nous, et ne m'adressa plus la parole du voyage. Je ne me souviens pas que nous nous soyons salués une fois à l'aéroport. En revanche, je sais qu'à peine arrivé à Paris, il a recommandé mon hospitalisation au médecin de la cellule de crise. Heureusement, Jérôme et Julie surent tout de suite qu'il ne pouvait s'agir que d'une erreur et s'y opposèrent fermement. À quoi aurait bien pu mener un isolement ? Comment a-t-il pu penser sincèrement qu'un enfermement m'aiderait ?

Bien sûr, je ne prétends pas que j'étais en pleine forme. Au contraire, je n'allais pas bien, et je sentais que des puissances – médiatiques et politiques – bien plus fortes que nous allaient nous rattraper. Depuis Djibouti, je tenais dans mes mains une photo de Florent que je ne cessais d'examiner. Il portait des lunettes de soleil mais néanmoins j'arrivais à me perdre longuement dans son regard. J'oscillais entre logique et déraison. Je tournais et retournais dans ma tête le moment où il avait été tué, je pensais qu'une faute aussi grossière ne pouvait être le fait de soldats d'élite. En pleine confusion, soudain projetée hors de la réalité et, surtout, triste à en crever, je divaguais au point de songer parfois qu'il ne s'agissait pas d'une erreur et qu'on avait exécuté Florent. Puis, je chassais de ma tête cette idée folle.

Cependant, tout ce qu'on m'avait rapporté jusqu'ici ou que j'avais entendu aux informations ne collait pas. Tant que je ne saurais pas précisément ce qu'il s'était passé et comment Florent était mort, les événements me porteraient à croire par moments, et très certainement à tort, qu'il pouvait s'agir de bien plus qu'une erreur.

Je confiai instantanément mes doutes à Steven, même si je me rendais compte de l'énormité de mes propos.

AVANT D'ATTERRIR À PARIS, le psychiatre nous avait expliqué qu'aucun media n'avait eu l'autorisation d'accéder à l'aéroport et que seules nos familles étaient présentes. Cependant une flopée d'individus étaient attroupés dans une rue adjacente à l'entrée du site. C'est à notre arrivée sur le sol français que j'ai commencé à mesurer l'ampleur de ce qui nous attendait. Par le hublot, je voyais cette rue entièrement bondée de journalistes, certains se tenaient debout avec leur caméra sur le toit de leurs voitures. Ils rapportèrent tous la même image, celle où l'avion atterrit au loin.

J'avais laissé Steven et Dorian descendre avant moi, tandis que Jérôme était venu chercher Colin pour l'emmener. Mes parents furent les premiers, si ma mémoire est bonne, à monter dans l'avion. Quand ils ont voulu me serrer dans leurs bras, je les ai aussitôt repoussés. J'étais trop malheureuse pour accepter leur soulagement de me retrouver saine et sauve. Francis est arrivé ensuite, m'a serrée contre lui et j'aurais tant voulu, pour lui, que cela soit Florent plutôt que moi. Je m'en voulais de ne pas avoir su protéger son fils.

M. Morin, ministre de la Défense, pénétra à son tour dans le Falcon mais, avant même que je n'ouvre la bouche, Francis lui intima fermement de redescendre, lui faisant remarquer que le moment était mal approprié.

Quand nous nous sommes décidés à sortir, une trentaine de personnes nous attendaient au pied de l'avion. Je me suis immédiatement dirigée vers Agathe et les enfants, puis embrassai tout le monde, famille et amis.

Jérôme tenait Colin dans ses bras ; je me souviens de ces mots : « Excuse-moi mais je n'arrive plus à le lâcher ! » D'une certaine manière, j'étais un peu rassurée car je savais que ce tonton, si proche de son Papa, le tenait comme il tiendrait son propre fils. Il fait partie de ceux qui savent, de temps en temps et à leur façon, apporter à Colin un peu de ce que Florent avait encore à lui donner.

Je me sentais totalement démunie face à Agathe, Marie et Francis. La souffrance ne peut se partager, la douleur n'est jamais comparable, mais nous souffrions dans notre chair et je m'en estimais très responsable. Je les écoutais me dire qu'ils m'aimaient alors que c'était si dur à entendre. J'étais partie avec Florent et je n'avais pas su le protéger... Et là, je revenais seule. Florent aurait dit que mon rôle, c'était de prendre soin de Colin, de le préserver, mais je ne peux m'empêcher de m'en vouloir. Les soixante dernières secondes de notre vie ne cessaient de me tourmenter, de passer en boucle dans ma tête. Comment tout cela avait-il été possible ?

Après avoir pris chacun dans mes bras, deux psychiatres, celui de l'avion et un nouveau, s'approchèrent de moi. Je ne voulais pas leur parler, mais ils insistaient pour que j'avale un anxiolytique. Je l'acceptai et le glissai dans la poche de ma veste, ou plutôt de la veste de Florent, que je portais.

M. Morin revint me saluer avant que nous ayions quitté le bâtiment. Posté face à moi, il me transmit ses condoléances, et au lieu de s'effacer discrètement, demanda à voir, en posant la main dessus, la photo de Florent que je serrais toujours. Je le laissai la prendre, il l'examina, sourit, avant de me la rendre. Suite à ce geste déplacé, je n'avais rien à ajouter, donc je partis.

Christophe, le médecin de la cellule de crise, fut la seule personne à m'inspirer confiance, la seule personne à qui j'étais capable de parler. C'était un homme à l'allure sportive, au regard confiant et à la voix douce ; il semblait être opérationnel en permanence, efficace et souriant. Toutes ces qualités lui valaient certainement ce poste diplomatique. Il annonça qu'une foule de journalistes attendait notre sortie, que nous allions devoir partir à plusieurs véhicules, dont un bus, et que ce convoi serait encadré par des motards.

Colin partit avec Jérôme, Agathe et ses cousins tandis que je montais dans un véhicule monospace sans me souvenir avec qui j'étais. À peine avions-nous franchi le portail que des cameramen et des photographes à moto nous pistèrent. J'étais assise à l'arrière du véhicule, au milieu, et je me protégeais avec mon manteau. Si je n'avais pas été si malheureuse, j'en aurais sûrement ri tant je les trouvais ridicules et grossiers. Ils ont dépensé beaucoup de temps et d'argent pour quelques clichés d'avion et de voitures.

Nous arrivâmes à Montparnasse, et descendîmes au Novotel, où tout avait été organisé pour la nuit avant de reprendre le train pour Vannes le lendemain.

LA MÈRE DE STEVEN, Monique, est veuve depuis dix-huit années ; avec la mort de Florent, je pris conscience que je connaissais beaucoup de femmes trop tôt devenues veuves. Monique fut la première que je revis, et je sentis tout de suite une compréhension mutuelle qui allait au-delà des mots.

J'ignore où étaient Dorian et Steven, mais je me souviens d'être assise sur une chaise, seule, au milieu d'une grande salle vitrée. Sans doute avais-je besoin de parler car je me suis mise à raconter à ceux qui voulaient bien m'écouter notre semaine, en désordre et en m'attardant probablement sur certains détails. J'avais besoin de me vider, de rire, de dire des conneries.

Christophe vint me demander si je souhaitais boire quelque chose. Nous étions dimanche soir, cela faisait quarante-huit heures que je refusais tout médicament, mais je réclamai un verre de whisky. Il ne pouvait me dire qu'il n'y en avait pas au Novotel ! Il revint au bout de cinq minutes en me prévenant qu'il n'était pas prudent de boire à cause du Stilnox avalé un peu plus tôt. J'attrapai ma veste et lui montrai illico le comprimé. Il me sourit, s'en retourna et revint cette fois avec le verre d'alcool. J'en profitai pour lui demander où fumer.

Les amies de Bretagne s'étaient mobilisées pour que Colin et moi ne soyons pas démunis et c'est Agathe qui m'avait apporté de quoi nous habiller. Je montai dans ma chambre avec elle, le temps de prendre une douche, avant de redescendre pour le dîner. Comme la plupart de ceux qui étaient à ma table, je n'avais pas faim.

Colin semblait ravi d'avoir retrouvé Titouan et Zélie, ses cousins ; Tony, qui était aussi venu, organisait à merveille le rayon « enfants ».

Chaque fois que nous nous déplacions dans l'hôtel, nous devions feinter car les ascenseurs se situaient devant de grandes baies vitrées. Traînaient encore quelques allumés sur le trottoir, de ceux qui consacrent beaucoup de temps et d'énergie à l'information utile.

Cette nuit-là je dormis avec Tony et Julie, nous discutâmes longtemps. Florent et Julie étaient amis depuis le collège, Tony et moi depuis le primaire. Tony et Julie avaient même eu une aventure au lycée. Aujourd'hui, Julie est psychiatre, Tony est jeune papa et éducateur sportif, Florent n'est plus et je ne suis que moitié. Nous étions là, dans cette chambre d'hôtel, à tenter d'admettre tant d'inepties. Florent, l'être qui nous était si cher, l'homme qui jamais n'avait levé la main sur autrui, cet épicurien sensible à toutes les joies de la vie, était mort sous la violence d'une balle, au cœur d'un océan qui lui était si précieux.

Je ne voulais pas anticiper le retour à Vannes ni les charognards qui allaient guetter notre peine, je préférais me rappeler un des messages de soutien que j'avais reçu : « Une phrase de J. Brel me revient : "Les hommes prudents sont des infirmes." Vous avez choisi votre vie, personne ne devra vous dire ou juger que... Mon immense respect pour Flo et paix à son âme, il a pris un peu d'avance sur nous, je lui dis à bientôt et bon vent. »

Le lendemain matin, nous prîmes le train pour Vannes où je discutai longuement avec chacun, prenant conscience de ce qu'une certaine presse leur avait fait vivre depuis des jours, et de ce qui nous attendait à coup sûr. D'ailleurs, durant le trajet, un journaliste nous interpella dans le wagon. Il travaillait pour France2 et se rendait, disait-il, à Rennes pour couvrir un match de football. Je ne sais si c'était vrai, mais si tel était le cas, il n'eut pas de chance et aurait dû éviter de nous approcher. Nous n'étions pas du tout disposés à nous confier à la presse, nous étions tous sous le coup de l'émotion. Tant de bêtises furent dites et écrites dès le départ que nous avions décidé de rester discrets, et d'attendre d'être en pleine possession de nos moyens pour intervenir et rétablir les faits.

Nous avions prévu de descendre à Auray, la station après Vannes, pour éviter de possibles altercations avec les journalistes. Des amis vinrent nous chercher et nous déposer dans la maison de Jérôme et Agathe, à l'abri des curieux. La maison était devenue le centre d'informations depuis l'annonce de la prise d'otages, le 4 avril, les amis se relayaient pour assurer le quotidien, chacun aidant à sa manière.

Pour la première fois depuis la mort de Florent, je me sentais protégée, entourée, soutenue. Me retrouver seule dans cette maison où nous avions séjourné avec Florent en décembre n'était pas aisé, mais j'étais près des miens, je pouvais parler ouvertement et tenter de prendre un peu de recul. Nous étions plusieurs pour analyser les informations récoltées.

LES PREMIERS JOURS en Bretagne, je prenais les choses comme elles arrivaient, tout en commençant à assembler les pièces de manière ordonnée. J'étais choquée, même si cela ne me surprenait pas, par le comportement d'une certaine presse. Si nous étions tranquilles chez ma belle-sœur (aucun des journalistes n'avait pu nous trouver), Francis et Marie étaient pourchassés chez eux comme au travail. Les charognards me traquaient sur la toile, recherchant par tous les moyens à me contacter et avoir l'exclusivité sur le retour de « la veuve et de l'orphelin ».

Par une amie proche de la rédaction de *Paris Match*, je savais qu'un article allait paraître, malgré mon refus de leur parler. Les excellents reporters Cécile Guéret et David Le Bailly, avec trois bouts de ficelles et des photographies volées sur le blog, ont ainsi réussi à écrire deux pages, admirables peut-être, mais qui n'apprennent rien au lecteur puisque tout, ou presque, y est faux.

Cette amie m'avait expliqué que la rédaction du magazine fonctionnait toujours de cette manière : si vous acceptiez de leur parler, ils vous payaient, et si vous refusiez, ils prenaient le risque de payer, si vous engagiez une procédure judiciaire à leur encontre. Depuis 1949, *Paris Match* est connu pour sa devise : « Le poids des mots, le choc des photos » ; personnellement, il me semble que ce genre d'enquêtes relève plus du « choc des photos » que d'autre chose.

« Heureusement », cette semaine-là, le papa d'Élise, une jeune fille déchirée par le divorce de ses parents de nationalités différentes, avait accepté de vendre les photographies du retour de sa fille en France.

Ainsi, il put nous détrôner de la couverture à laquelle nous semblions promis, et *Paris Match* titra sa une : « Otage de l'amour ».

Ce que j'ai pu lire dans *Paris Match*, *Le Journal du dimanche*, *France Dimanche* et autres titres de presse du genre, me fit penser à une chanson de Renaud, chanteur que Florent appréciait beaucoup dans sa période anarchiste et révolutionnaire. Cette chanson, « Les Charognards », c'est l'histoire de deux jeunes banlieusards qui foirent un braquage sur les Champs-Élysées et qui se font descendre, sans sommation, par la police. Renaud exprime les dernières pensées du jeune homme qui se meurt sous le regard des « charognards », victime de la « connerie humaine » et du « regard des curieux ». Chacun, du boulanger du coin à l'ancien para, y va de son commentaire, allant jusqu'à cracher sur le corps du braqueur. Seule une jeune fille pleure la mort de cet homme, par simple humanité, et ses larmes réchauffent le cœur de Renaud.

Je ne sais pas comment l'expliquer, mais cette chanson reflète parfaitement les impressions que m'ont laissées les nombreux mots d'injures et les messages de soutien.

Retour à la terre

Je suis rentrée corps et âme dans une vie qui n'était pas la mienne. J'ai eu soudain un combat à mener que je n'attendais pas, et pour cela il m'a fallu assimiler rapidement de nouveaux codes.

En effet, j'avais beau réfléchir posément à la semaine qui venait de s'écouler, je n'arrivais pas à assembler les pièces du puzzle. Ce que nous avions vu et vécu là-bas ne correspondait définitivement pas avec ce qui était dit par les différents membres du gouvernement, et repris bien sûr par la presse.

À mon retour en France, Christophe, le médecin de la cellule de crise des Affaires étrangères, m'accompagna dans mes démarches. Avec lui, je compris rapidement que je devais profiter de toutes les rencontres possibles si je voulais atteindre mon objectif. Cet objectif, depuis le 10 avril 2009, est simple : que les faits soient rapportés tels qu'ils se sont déroulés, du début jusqu'à leur dénouement, et reconnus officiellement.

Nous avons peut-être des torts, mais nous étions prêts à les assumer dès le départ, et mon intention n'est pas de nous dédouaner de nos responsabilités.

Cependant, Florent, le Capitaine de la Tanit Family, était loin d'être celui qu'on a décrit inconscient ou irresponsable. Tout comme il n'est pas décédé de la manière dont cela a été rapporté.

Si je veux que la vérité soit dite, c'est pour plusieurs raisons. D'abord pour rétablir l'honneur de mon Homme, du père de mon enfant, car oui, il est un héros. Il a vu son rêve s'effondrer, sa vie et celle des siens durement menacée, mais il a su garder constamment son sang-froid. Il est allé jusqu'à se mettre en danger pour tenter de protéger ses équipiers et les militaires. Sans lui, les choses auraient pu être bien pires.

J'ai néanmoins dû me rendre à l'évidence : les faits s'avéraient plus complexes que je le croyais, et si je voulais faire tomber les murs de silence qui se dressaient peu à peu devant moi, je devais prendre garde à consigner et à analyser le moindre détail des propos que l'on me tiendrait, le moindre mot, la moindre suggestion, et de les confronter aux informations que je pourrais trouver. Chaque jour, de nouvelles rencontres, de nouveaux éclaircissements vinrent ainsi fonder mon opinion.

Le lendemain de notre arrivée à Vannes, le 14 avril, les enquêteurs débarquèrent pour m'interroger. Ils étaient deux, un homme et une femme, plutôt jeunes, se voulaient très rassurants dans leurs propos et prévenants dans leur comportement avec moi. Ils me posèrent moult questions sur notre voyage, nos choix de route, notre confrontation avec les pirates et le déroulement des opérations militaires. Je compris, à leurs demandes précises, qu'ils cherchaient aussi à déterminer l'origine du tir qui avait tué Florent. Alors je me montrai le plus claire possible dans mes réponses ; depuis qu'on m'avait annoncé le décès de Florent, je m'étais longuement interrogée sur l'origine de la balle. D'abord, j'avais cru qu'il s'agissait de l'un des pirates, cela semblait le plus plausible. Mais après recoupement des informations militaires et de celles de mes équipiers, j'avais déduit qu'elle devait provenir au contraire d'une arme militaire ; la façon dont Florent s'était effondré sur moi laissait penser à un coup de feu parti du pont au-dessus de notre cabine, soit de l'emplacement du commando que j'avais vu. Florent se trouvait à ma droite et était tombé sur moi, me tournant le dos, le flanc gauche sur mes jambes. Si la balle était venue de l'autre côté, ne serait-il pas tombé dans l'autre sens ? Bien sûr l'assaut s'est déroulé en un éclair, mais je n'avais vu aucune perforation dans les parois de ma cabine. Enfin, compte tenu des blessures de Florent, touché à l'œil et à la main, je croyais peu à l'hypothèse de la balle perdue. Florent avait été visé, avec beaucoup de précision. Je savais depuis le début que ses blessures avaient été provoquées par une même balle puisque Florent n'avait pas crié. Je leur livrais donc ces premières déclarations, en indiquant que mon intention n'était pas d'accuser quelqu'un, mais de donner mon sentiment. Loin de moi la volonté de culpabiliser qui que ce soit, je voulais seulement savoir, et surtout comprendre.

Les enquêteurs me présentèrent alors un panel anthropomorphique, c'est-à-dire les portraits de la quinzaine de pirates somaliens détenus dans les prisons françaises. Ils me demandèrent si je reconnaissais parmi ces visages les pirates de *Tanit* ; j'en nommai immédiatement deux, Abdi et « Le Pêchou », mais avais quelques doutes quant au troisième. Depuis l'assaut, j'étais persuadée qu'« Émail Diamant » avait été blessé. Je ne comprenais donc pas pourquoi il ne figurait pas dans le panel. Pourtant, il n'avait été fait état que d'un blessé et je constatai sur les clichés qu'il s'agissait d'Abdi, ce que me confirmèrent les enquêteurs. Je n'avais donc pas de raison d'hésiter, le troisième était bien « Luna ». Jaama et « Émail Diamant » étaient morts lors de l'assaut.

Deux bonnes heures s'écoulèrent au cours desquelles je tâchai d'expliquer les événements, le plus nettement possible. Ce fut un moment douloureux, mais nécessaire : j'avais besoin de parler, et toute occasion était utile à cette fin. J'avais surtout besoin de répéter les faits comme pour les assimiler.

Je sortis de cet entretien extrêmement troublée par la mort d'« Émail Diamant ». Steven et Dorian m'avaient expliqué ce qu'ils avaient vu de l'assaut, eux qui étaient devant : Jaama était tombé (c'est son corps que j'ai vu au sol en quittant *Tanit*) et « Émail Diamant », blessé à la poitrine, s'était dirigé vers eux, décidé à leur tirer dessus. Ce fut « le Péchou », non armé, qui les aida à devier le tir. La balle alla se ficher dans la bannette avant tribord. C'était donc a priori le seul tir de pirate à notre connaissance puisque dans la seconde qui avait suivi, les commandos avaient investi l'intérieur du bateau et en avaient extrait Steven, Dorian et « le Pêchou » par le hublot de la cabine avant. Pourtant, une fois dehors, Dorian entendit un autre coup de feu.

Je décidai dès lors de me porter partie civile et de prendre un avocat. C'était la seule solution pour avoir accès à toutes les pièces du dossier, chercher des preuves et m'assurer que les pirates paient leur faute à sa juste valeur.

LE MARDI SOIR, le corps de Florent était rapatrié à Lorient. Sa famille et ses amis s'étaient rendus auprès de lui. Cette démarche était fondamentale pour certains, inconcevable pour moi. Je ne voulais plus voir ni entendre d'avions militaires. Je refusais de voir Florent revenir de notre grand voyage sur cette base de l'armée, dans cette putain de boîte et accompagné par des hommes en uniforme. Tout cela était bien trop éloigné de nos rêves et du bonheur que nous avions partagé. L'ironie du sort était trop cruelle. Je tentais de chasser l'image de ce que les médecins feraient sur son corps le lendemain, jour d'autopsie. Je me sentais soudain désespérément seule au milieu d'eux tous. C'était maintenant leur tour d'admettre la mort de l'être cher. Moi, je vivais mon deuxième déchirement, incapable de les aider, luttant de toutes mes forces pour ne pas sombrer à la perspective que bientôt, la séparation serait définitive.

Je refusai de quitter la maison jusqu'au jeudi, jour où Francis et moi avions rendez-vous avec le procureur de Rennes, M. Pavy. Il souhaitait, avant toute communication officielle, nous informer du compte rendu de l'autopsie.

Mais avant ce rendez-vous, en début d'après-midi, nous avions une dernière occasion de voir Florent. Tous ceux qui le souhaitaient pouvaient venir lui dire adieu dans un cadre privé, à la chambre mortuaire de Rennes. Pour beaucoup de nos proches, ce qui trahissait le plus la mort de Florent, c'était que je sois là, seule, avec Colin. Sans lui. Ils avaient besoin de se délivrer pour de bon du mythe de l'ami en voyage, de l'ami absent, qui reviendra peut-être un jour. Moi-même je n'étais pas sûre de vouloir sortir de ce fantasme. Dans le même état d'esprit, j'avais pensé emmener Colin car je trouvais important qu'il voie son papa une dernière fois. Mais quand je lui expliquai où nous devions nous rendre, après une première réponse affirmative, il changea d'avis et refusa. Je ne voulais pas l'y contraindre et le laissai donc à la maison avec ses cousins, dans ce cocon que j'avais du mal à quitter, moi aussi.

Nous étions nombreux devant le bâtiment. Chacun entrait à son tour, puis ressortait en pleurant. Je suis restée longtemps dehors, retardant le plus possible l'heure des adieux. Je voulais être la dernière à le regarder, je voulais être seule avec lui, je voulais le serrer et l'embrasser comme je l'avais fait sur la frégate. Mais il était si froid. J'ai plongé mon visage dans ses cheveux en tentant de capturer une fois encore son odeur, et de la garder à jamais. Puis Francis est venu me chercher, m'évitant de basculer dans une dimension où la souffrance m'aurait fait perdre la raison.

Nous avons laissé chacun à sa tristesse et nous sommes rendus ensemble à la Cité judiciaire. En ce jeudi 16 avril, j'avais encore confiance en la justice.

Le procureur de Rennes avait lu ma déposition et savait la conclusion que j'avais tirée des événements. Le personnage qui nous accueillit ne m'inspira pas grande confiance : il était trop « compréhensif » pour être crédible à mon sens. Pourtant, je voulais croire qu'il était notre allié et que nous avancerions dans la même direction. Il nous expliqua qu'il était convaincu, au vu des éléments en sa possession, que ma version correspondait au déroulement réel des faits. J'en profitai pour l'informer de mes intentions : je ne souhaitais pas porter plainte contre le militaire qui avait tiré sur Florent car, à mes yeux, il n'était pas le seul fautif. Le procureur m'entendit, mais se garda bien de m'expliquer ce qu'induisait, en revanche, l'intitulé des faits pour lesquels sont poursuivis les pirates, les chefs d'accusation étant les suivants : « Arrestation, enlèvement, séquestration ou détention arbitraire de plusieurs personnes dont un mineur de quinze ans, suivi de mort, sans libération volontaire avant le septième jour, commis en bande organisée ; détournement de navire par violence ou menace suivi de mort ».

La procédure engagée vise à définir les circonstances exactes de la prise d'otages et de l'assaut afin d'adapter les peines des pirates en fonction de leur rôle. Tout ce que je pourrais dire, donc, pourrait servir ou desservir la défense des pirates somaliens. En résumé, il n'était pas question de mener une enquête sur le décès de Florent pour trouver l'auteur du tir. Alors même que le rapport d'autopsie semblait confirmer l'hypothèse du tir militaire ; alors même que les conclusions indiquaient une direction correspondant à celle que j'avais signalée dans ma déposition (un tir venu du dessus, selon une trajectoire oblique). Mais toute preuve demeurerait insuffisante tant que l'on ne retrouverait pas la balle. En effet, le procureur insistait sur le fait que les blessures engendrées par une arme de commando n'étaient pas suffisamment distinctes de celles provoquées par une kalachnikov. Mais il voulut cependant nous rassurer : il avait fait relever un morceau de chair autour de la plaie de Florent afin de permettre l'inhumation sans compromettre l'enquête. Quand les enquêteurs se rendraient sur *Tanit*, ils trouveraient la balle et nous pourrions ainsi prouver les faits.

Nous étions tellement soulagés qu'il nous remette le permis d'inhumer et nous confirme que nous pourrions désormais répandre les cendres en mer, que sur l'instant nous n'avions rien noté d'étrange à cette entrevue. Nous ne réalisions pas encore que l'enquête allait prendre une orientation déplaisante.

FLORENT fut incinéré le vendredi 17 avril. Devant le funérarium, chacun venait me glisser quelques mots de réconfort. Mais je serais bien incapable aujourd'hui de dire qui était là et les paroles qui me furent adressées. Je ne suis pas croyante mais j'étais assez malheureuse pour avoir osé penser encore un instant que Florent reviendrait peut-être. Irrémédiablement, mes derniers espoirs allaient s'échapper. Colin me pressait pour entrer dans la salle et je l'y emmenai donc avant tout le monde. Le mur du fond était une grande baie vitrée qui donnait sur la pleine nature, et le cercueil de Florent était installé là, seul face à ce paysage. Nous l'avons rejoint pour passer un dernier moment tous les trois. Colin voulut le voir, alors il me dit : « Maman, va chercher des outils, un tournevis, regarde ! » Il tapait sur le cercueil avec son doudou : « Je veux ouvrir la boîte, je veux voir mon Papa ! » J'étais désemparée face à tant de chagrin, et ce que tout le monde vit en entrant, c'est un petit loulou qui ne voulait pas qu'on laisse son papa enfermé dans une caisse.

Alors je me suis assise et l'ai pris dans mes bras. La salle était pleine, je me suis perdue dans la musique et les paroles prononcées par les uns et les autres. J'aurais aimé parler moi aussi, dire combien je l'aimais, combien il était formidable, mais j'en étais incapable. Je ne pouvais qu'écouter ces paroles qui continuent de résonner en moi. « L'un des rares qui pensaient que leurs convictions leur permettraient d'amadouer l'adversité..., un homme qui avait suffisamment de talents pour se couler dans une vie confortable mais qui n'y trouvait aucun sens[1]. » Je fermai les yeux et me demandai pourquoi nos convictions ne nous avaient pas sauvés. « Face à la folie des hommes, les Gandhi sont désarmés et n'ont que leur vie à offrir. » Alors c'est cela, être un héros, c'est mourir pour ses convictions ? « Les flots dansent, la mer n'a pas de frontières, tu n'es pas loin mais là tout près, veille sur eux, sur lui, sur elle, ils ont besoin de toi[2]. » Il pouvait donc veiller sur nous ? Était-il vraiment là, près de nous ? Comment m'accommoder de

1. Jacques Delnooz.
2. Nathalie Thual.

173

cette nouvelle relation, en aurais-je seulement la force ?
« Florent était le sel de la terre. Que Francis n'essaye
pas de défendre sa mémoire contre ceux qui regardent
leur horloge en attendant 17 h 00, ceux qui font le
compte de leurs RTT... À l'heure du Pastis, ils pourront
conforter leur médiocrité par des sentences convenues.
Pour ceux pour qui la vie est autre chose que l'attente de
sa fin et pour qui cela vaut la peine de prendre des
risques afin qu'elle soit belle, pour ceux-là, Florent res-
tera le levain de la terre[1]. » Jacques a raison, « seul celui
qui risque est libre[2] », mais seulement, il était aussi le
sel de notre vie, qu'allions-nous devenir ? Raoul, son
ami et partenaire de swing manouche, évoqua Florent
comme un héros, un Capitaine qui n'aurait pas supporté
de revenir sans un de ses équipiers. Oui, mais Colin et
moi supporterons-nous d'être revenus sans notre Capitaine ? Puis quelqu'un est venu et a emmené Florent.

Je ne voulais pas d'étreintes, je ne voulais pas être
la veuve, je voulais être seule.

Le samedi pourtant, dans un champ à proximité de
la mer, là où nous avions échangé notre premier baiser,
famille et proches nous étions réunis pour une dernière
fête avec Florent. Un pique-nique, des musiciens, des
enfants qui jouaient sur le sable... Il était inconcevable que la journée se déroule d'une autre manière.
Et comme un signe, ce fut un jour plein de soleil.
Puis nous avons marché tous ensemble sur la plage
afin de le laisser filer vers de nouveaux horizons. Je
voulais disperser ses cendres, voulant croire que si

1. Jacques Delnooz.
2. Albert Coccoz.

174

c'était moi qui le faisais, je serais forcée d'admettre la réalité des faits. Jérôme m'accompagna dans l'eau, nous nous enfoncions jusqu'à la taille, tout habillés, avant de vider l'urne. Alors que nous étions dans le courant, j'eus la sensation qu'une vague de cendres s'enroulait autour de moi. Je n'avais pas froid, j'étais privée de mots, mon regard restait figé sur ces petites particules qui brillaient dans l'eau. Pendant ce temps, famille et amis dispersaient des fleurs en bord de mer tandis que Colin, apaisé, s'endormait dans les bras d'une amie.

Les jours suivants, une nouvelle vie commencerait pour Colin et moi, une existence où nous ne verrions plus Florent. Je devais m'accrocher pour mon fils ; pour lui et pour mon Homme je devais me battre contre tous ceux qui arrangèrent la vérité à leur convenance.

Ainsi, dès le 21 avril, je rencontrai le premier représentant officiel, directement lié aux opérations, le contre-amiral Marin Gillier, commandant la Force maritime des fusiliers marins et commandos (ALFUSCO) et commandant la Marine à Lorient. Mes beaux-parents et proches l'avaient déjà rencontré le 10 avril, car il s'était rendu, accompagné de Christophe de la cellule de crise, de Matthieu des Affaires étrangères et d'un psychiatre, au domicile de Jérôme et Agathe. Devant la trentaine d'amis présents ce jour-là, il exposa un compte rendu des opérations et tenta de répondre aux nombreuses questions. Dès ce premier entretien, l'amiral avait parlé de tirs nourris, mais toujours en précisant qu'il s'agissait de faits qui lui avaient été rapportés. Dès ce jour-là, Francis comprit qu'un soldat se sentait responsable et que l'amiral le savait. Quand il insista pour connaître officiellement la nature de la balle, Christophe lui répondit que nous étions en démocratie et que nous avions le droit de faire la vérité sur cette question.

LE JOUR DE NOTRE RENCONTRE, le contre-amiral Marin Gillier me donna rendez-vous devant la gare de Lorient, afin de me conduire chez lui, à l'Amirauté. Appelée aussi Villa Kerlilon, cette demeure date de 1899 et fut choisie par l'amiral Karl Dönitz, qui y installa, dès le 11 novembre 1940, le poste de commandement de la base des sous-marins allemands de Kéroman (Lorient). La villa Kerlilon fut aussi, entre septembre 1944 et mai 1945, le siège du commandement de l'état-major allemand défendant la poche de Lorient. Depuis 1945, elle est le lieu de résidence de l'amiral commandant l'arrondissement maritime de Lorient.

Une amie m'y déposa, et j'attendis donc devant la gare, écouteurs sur les oreilles, ne songeant plus à m'attarder sur l'invraisemblance de la situation. Quinze jours auparavant, j'étais heureuse, filant avec Florent vers un petit bout de vie aux Seychelles, où nous avions prévu de faire un deuxième enfant. Aujourd'hui, j'attendais un militaire, chef des commandos, pour évoquer avec lui la mort de mon mari. Et je n'avais plus que la musique comme compagnon.

Quand je le vis descendre de sa voiture, en tenue de terrain, je sus immédiatement que c'était lui. L'amiral est un homme grand, d'une cinquantaine d'années, qui a beaucoup de prestance et une voix douce, rassurante. En même temps, il est de ceux qui savent le mieux se contrôler, sa profession exigeant retenue et discrétion.

Lorsque j'avais 17 ans, mon frère, qui avait déjà passé plusieurs années dans la Marine, avait suivi le cours de plongeur démineur à la base de Saint-Mandrier. J'avais assisté à la remise de son diplôme et découvert, à l'époque, un milieu – nageurs de combat et commandos – dont j'ignorais jusque-là l'existence. J'avais remarqué, par le métier de mon frère, qu'il s'agissait d'un environnement relativement fermé et que les citoyens avaient peu de chance de rencontrer ces commandos dans leur vie quotidienne puisqu'ils sont dévoués aux causes militaires et politiques les plus secrètes. Pourtant, les événements ont fait que j'avais croisé la route de ces hommes de l'ombre à deux reprises.

L'amiral Marin Gillier et moi avons d'emblée, me semble-t-il, établi une relation ambiguë. En lui, il y avait l'homme à qui j'étais tentée de faire confiance, et dans le propos de qui je n'ai jamais senti affleurer le moindre jugement. Cet homme-là avait compris qui nous étions, Florent et moi, et sans doute partageait-il notre conception du voyage et des rencontres. Et puis, il y avait aussi le marin, haut gradé aux lourdes responsabilités. Comme tout bon militaire, il admettait difficilement que ses hommes aient pu commettre des erreurs. De fait, les commandos qui ont pris d'assaut notre voilier appartiennent à une élite surentraînée. Je pourrais ajouter que ces hommes font énormément de sacrifices pour leur métier, et qu'ils risquent souvent leur vie. Loin de moi la volonté de remettre en question ce que je leur dois. Je veux seulement garder à l'esprit qu'ils ont choisi leur voie en connaissance de cause, et qu'ils demeurent des hommes, capables donc de défaillance humaine.

L'amiral n'était pas dans l'obligation de me recevoir. Je lui suis reconnaissante de m'avoir proposé cette rencontre. S'il n'a pas agi simplement par empathie, j'ai senti qu'il avait, plus que le devoir, le besoin de me parler. Il m'expliqua avoir été surpris, et touché, par l'accueil que lui avaient réservé ma famille et mes amis, lui qui s'était attendu à des attaques verbales violentes. Nous échangeâmes longuement ce jour-là, et notre rencontre fut probablement apaisante et pour l'un, et pour l'autre.

Je n'avais pas encore assez de recul par rapport aux événements, alors je lui posais les questions comme elles me venaient.

Parmi les choses qui me tracassaient, il y avait le survol de l'avion du samedi 4 avril. L'équipage avait cru, en voyant cet appareil voler au-dessus du voilier, que l'alerte avait été aussitôt donnée ; à mon retour en France, je me rendais compte qu'il n'en avait rien été. Ma famille n'avait appris notre captivité que le 6 avril, par voie de presse. C'est Ecoterra, une ONG kenyane douteuse, qui avait envoyé une dépêche à Reuters, l'agence la diffusant aux alentours de 11 h 30. À la suite de quoi la France avait dépêché un avion patrouilleur sur zone qui confirmait, à 17 h 00, que nous avions été attaqués.

Je ne comprenais pas non plus pourquoi le *Floréal* nous avait incités à participer au contrôle naval volontaire, en communiquant quotidiennement notre position à Alindien, puisque cela n'avait permis aucune anticipation. Quand ma mère les avait prévenus, le dimanche, qu'elle était sans nouvelle de nous, ils ont estimé que c'était juste une mère qui s'inquiétait et n'ont procédé à aucune vérification de la situation dans la zone. Je ne comprenais pas les rouages des opérations en place sur la zone et n'imaginais pas une seconde que les informations puissent ne pas circuler entre les forces armées. Cet avion nous avait donné l'espoir que nos familles seraient rapidement averties, mais il avait aussi anéanti toutes nos chances de nous en sortir pacifiquement. Les pirates venaient de monter à bord, la tension était à son comble et la peur leur fit décrocher leur skiff avant même de savoir si nous pouvions, techniquement, les emmener en Somalie. Connaissant la force de persuasion et l'humanité de Florent, sans compter sur la volonté profonde qu'avaient ces hommes de rentrer chez eux, je suis en droit de penser que nous aurions pu les convaincre de repartir en leur proposant nos réserves de gasoil, d'eau et de nourriture. L'Amiral me promit de se renseigner auprès des services compétents et de me tenir informée.

Je souhaitais aussi qu'il m'éclaire sur les minutes de l'assaut car toutes les versions qui m'avaient été données, ou que j'avais trouvées, n'étaient pas cohérentes. Pourquoi avoir dit que les pirates ont tiré une dizaine de coups de l'intérieur vers l'extérieur alors que mes coéquipiers et moi ne les avons pas entendus ? Pourquoi avoir dit que deux pirates étaient morts sur le pont et que le blessé était tombé à l'eau, alors qu'il était le seul dehors à l'arrivée des commandos ? À toutes ces questions, l'amiral ne voulait pas répondre immédiatement. Il n'était pas sur place pendant les opérations, il se renseignerait et me tiendrait au courant.

Je lui parlai aussi des photographies qui circulaient dans la presse depuis notre retour, et lui dis que j'en étais choquée. D'un côté les militaires me demandaient d'être discrète ; de l'autre, l'armée diffusait elle-même les images de l'opération. N'y avait-il pas, là aussi, un manque criant de coordination ? L'amiral ne put qu'acquiescer : lui aussi était mécontent, pour ses commandos, que de tels clichés circulent. Mais l'opération *Tanit* avait été lancée par l'état-major, à qui il avait dû transmettre un compte rendu des faits, qui incluait des photographies. Leur diffusion n'était pas de son ressort, et on n'avait pas sollicité son avis.

Sans faire aucune affirmation, l'amiral m'expliqua que l'un de ses hommes pensait être le tireur et qu'il se sentait très mal. Bien sûr, on ne pouvait rien confirmer pour le moment, il fallait, me dit-il, mener l'enquête à son terme.

J'ai mis du temps à comprendre que j'étais la seule à pouvoir « extorquer » la vérité. J'évoluais encore dans un état émotionnel et ne pouvais analyser ces échanges qu'après coup. Petit à petit, les questions que je posais allaient m'apporter des réponses qui me conforteraient dans mon premier sentiment : des erreurs avaient été commises, plusieurs, jusqu'à l'aberration, la mort de Florent.

Après réflexion, je me rendis compte que l'amiral avait su être à l'écoute et entendre mon désarroi. S'il ne m'avait apporté que peu d'éléments pour le moment, alors qu'il paraissait être le plus apte à me répondre, il m'avait promis de se renseigner et de m'éclaircir dès que possible. Cependant, il n'en avait pas moins tenté de m'expliquer la complexité des faits auxquels nous faisions face.

Je compris aussi que connaître le déroulé précis des opérations allait devenir pour moi une quête quotidienne. Et cela passerait forcément par des échanges avec un maximum de personnes liées, de près ou de loin, aux événements. Puisque la confusion régnait autour de notre libération et de la communication qui s'ensuivit, j'allais devoir multiplier les sources et recouper les informations.

J'allais d'ailleurs pouvoir m'entretenir avec celui qui avait décidé de l'assaut, celui qui a fait de ce 10 avril une journée funèbre. M. Sarkozy se montra en effet pressé de rencontrer les proches de Florent, contrairement à ce qu'il m'avait dit au téléphone le 11 avril. Christophe, le médecin de la cellule de crise des Affaires étrangères, fit le lien entre le gouvernement et nous. Il appela une première fois pour nous informer que le président voulait nous recevoir, le 16 avril. Les parents de Florent, sa sœur et moi, avons, à ce moment-là, unanimement refusé. Il était hors de question que nous allions à Paris alors même que le corps de Florent n'avait pas encore été incinéré. Je me souviens avoir été stupéfaite par cette demande soudaine. Le président français manquerait-il de savoir vivre comme le laissent entendre certaines rumeurs ? Le cabinet présidentiel n'en réitéra pas moins sa demande et nous convia à nouveau le 23 avril. Tandis que Francis, Marie, Agathe, Steven et Dorian avaient déjà donné leur accord, je restais méfiante. J'avais des conclusions bien précises sur le déroulement de notre libération, et elles ne rencontraient encore guère d'échos. Cela ne m'incitait pas à me plier au protocole, voire à la mise en scène. Pourtant, j'eus la bienséance de prendre sur moi : si j'avais rencontré le président comme on monte au front, attaquant, posant des questions incisives, je me serais immédiatement vu fermer toutes les portes. Et puis Christophe m'avait convaincue, m'expliquant que le président voulait m'aider, que je devais saisir la perche qu'il me tendait, penser à Colin. Jusque-là Christophe s'était montré de bons conseils, mais bien que fonctionnaire, il fait partie du « système » : son seul but était-il de m'aider ?

Je finis par accepter la rencontre, mais refusai de multiplier les interlocuteurs et spectateurs. Le protocole, à grands renforts de ministres, amiraux et autres secrétaires ne me réjouissait pas. M. Sarkozy voulait me voir pour m'aider ? Un entretien privé y suffirait bien.

Après avoir transmis ma requête au cabinet présidentiel, Christophe m'expliqua que l'amiral Guillaud, chef d'état-major particulier du président, serait tout de même présent. « Le chef de l'État ne reçoit jamais seul. » Je le rencontrerais la première, mais le cabinet insistait : Nicolas Sarkozy souhaitait que je participe aussi à l'entretien suivant, auprès de ma famille, requête dont je ne m'inquiétai pas.

LE 23 AVRIL, Christophe vint nous chercher à la gare Montparnasse et nous conduisit à l'Élysée. Quelques jours auparavant, il m'avait conseillé de noter ce dont je voulais parler. Dans la voiture il voulut savoir si j'avais suivi ses conseils : le rendez-vous allait être bref et je risquais d'être troublée.

L'entretien était prévu à 18 heures ; nous avions retrouvé Steven et Dorian dans les jardins de l'Élysée, où l'amiral Guillaud nous rejoignit. J'étais vêtue d'une tunique orangée à fleurs mauves, que je portais sur un pantalon large, couleur chocolat. Aux pieds, je portais des Crocs violettes, ces sabots en résine que je vendais autrefois sur les marchés. J'avais volontairement choisi une tenue colorée. C'était une manière de montrer que j'assumais ma vie et mes choix et que, sous aucun prétexte, le décorum ne pouvait avoir d'emprise sur moi. J'étais en deuil, j'endurais une souffrance indicible, mais je ne voulais pas pour autant me laisser impressionner.

Du personnage et des lieux, je ne me souciais guère. Ma grand-mère était issue d'une famille aristocratique parisienne, alors les dorures, le mobilier Louis XV, Louis XVI et autres fioritures étincelantes ne me subjuguent pas. Quant au chef de l'État, il était pour moi une personnalité comme une autre. Or, le souvenir que j'avais des gens connus croisés à l'époque où j'étais régisseuse m'incitait à ne pas me dévaloriser.

Je fus la première en haut des escaliers. Lorsque j'arrivai dans le hall où sont exposés les portraits de nos défunts présidents de la Vᵉ République, mon regard plongea dans les yeux bleus d'un jeune garde républicain. Quand je vis Steven le prendre soudain dans ses bras, je sus pourquoi il m'était difficile de détacher mon attention de cet homme. J'étais allée en maternelle avec lui, je ne l'avais pas revu depuis quinze ans. Sa présence, quoique anodine et sans conséquence sur les événements, contribua à me mettre en confiance. Ravie de cette heureuse coïncidence qui me permettait de trouver mes marques en des lieux étrangers, je le serrai à mon tour chaleureusement dans mes bras. L'intermède fut de courte durée : trêve d'embrassades, on nous conduisit dans un premier salon meublé d'une grande table basse, où étaient disposés de nombreux titres de la presse quotidienne et hebdomadaire. À peine étions-nous entrés que l'amiral Guillaud m'invita à le suivre jusqu'au bureau présidentiel. Marie, Francis, Agathe, Steven et Dorian attendraient dans la salle de réunion adjacente, entre autres accompagnés par Christophe, Philippe Errera (directeur de Cabinet du ministre des Affaires étrangères), M. Morin, M. Guéant et l'amiral Gillier.

M. Sarkozy se tenait debout derrière son bureau, rangeant ou faisant mine de ranger un dernier document avant de me recevoir. Il se dirigea vers moi, me serra la main, mit dans ses yeux toute la compassion qu'il put, et je reconnus ce regard sincère qu'il porte aux citoyens français lors de ses déplacements. Il m'informa que l'amiral Guillaud, qui prendrait des notes pendant l'entretien et deviendrait, après ce rendez-vous, mon lien avec lui. Nous nous assîmes dans la partie salon, lui sur le canapé, contre le mur, moi dans un fauteuil face à lui, l'amiral à ma gauche.

Il commença par réitérer les propos qu'il m'avait tenus au téléphone, à Djibouti : il avait donné l'ordre de l'assaut, il répondait de ses conséquences et assumait donc sa responsabilité dans la mort de Florent. Il justifia sa décision, m'expliquant qu'il n'avait pas eu le choix, qu'il aurait agi de même pour les siens, que la France n'acceptait pas la piraterie, que personne ne devait aller à terre... Florent était très critique à l'égard de la politique mise en place par M. Sarkozy. Je me souviens de lui, expliquant à tel ou tel ami combien cet homme était doué pour la communication. Aujourd'hui, j'étais assise en face de lui, et l'entendre prononcer le prénom de mon mari, « Florent », me paraissait irréel. Alors, à ce moment encore, l'ironie cruelle dont ma famille avait été la proie m'atteignit violemment. Ce président dont nous n'avions pas voulu et dont nous n'appréciions ni la politique ni les manières, le chef de cet État que nous avions pris le parti de quitter, était là, devant moi, à évoquer « la mort de Florent » ? N'était-ce pas insensé ?

La première chose dont je voulus lui parler était la publication à outrance des clichés militaires de notre captivité. L'amiral Gillier m'avait dit lui aussi en être choqué, pour nous comme pour ses hommes. J'ai donc fait part de mon irritation au président, lui exprimant mon incompréhension. Pourquoi certains militaires me demandaient de rester discrète afin de garantir la sécurité des commandos lors de prochaines opérations alors que lui, chef de l'Armée, prenait le parti inverse ? Il me répondit que ces images devaient être exposées aux citoyens français pour contrer les critiques cumulées à notre égard. Devais-je imaginer que montrer l'équipage mis en joue par des pirates, directement menacés par leurs armes, exhiber mon visage implorant, pouvait être un faire-valoir à ses choix politiques et à l'assaut qu'il avait ordonné ? Je lui rappelai que mon regard ne suppliait pas les militaires d'intervenir, mais bien de partir. Pour seule réponse, il m'assura qu'il n'avait fait livrer que quelques clichés à la presse et qu'ils ne seraient utilisables qu'un temps restreint. Agathe me dit ensuite que Philippe Errera lui avait fait part de son étonnement, lors de l'entretien à l'Élysée, quand elle lui avait dit que personne n'avait sollicité notre accord pour la diffusion de ces photos.

Malgré mon indignation, je réussis cependant à conserver mon sang-froid. Ma deuxième requête, en effet, était de savoir ce que deviendrait *Tanit*. J'avais appris que le voilier devait être reconduit à Toulon, pour les besoins de l'enquête. « Madame, me répondit M. Sarkozy dès que j'eus évoqué le sujet, nous allons réparer votre bateau car nous y avons fait beaucoup de dégâts. » La réparation était une considération lointaine à mes yeux, mais je notai tout de même l'information. Il m'importait que le transport soit organisé jusqu'à Lorient car les enquêteurs venaient de Rennes et parce que l'amiral Gillier m'avait proposé une place sur un terrain militaire de la base de Lorient où je pourrais installer le bateau quand les scellés seraient levés. M. Sarkozy parlait réparation, je répondais enquête, et preuves ; mais pas seulement : il y avait Colin, qui n'avait pas d'autre maison que *Tanit*. J'insistai sur le fait que ses souvenirs avec son papa étaient liés à ce voilier, dans lequel Florent avait mis tout son cœur. De quel autre lieu de recueillement mon fils pourrait-il disposer ? Où pourrait-il trouver ailleurs l'âme de Florent ?

Je n'oubliai pas non plus de parler de la Commission d'indemnisation des victimes d'infractions (CIVI), que mon avocat m'avait conseillé de mentionner au cours de l'entretien : est-ce que l'Élysée appuierait une demande d'aide ? Lorsque j'eus prononcé l'obscur terme, je vis le président chercher du regard une réponse auprès de son chef d'état-major. Visiblement, il ignorait de quoi il était question, et malheureusement pour lui, l'amiral Guillaud semblait incapable de le renseigner. Je leur expliquai le rôle de la commission, que l'amiral s'empressa de transcrire sur ses notes, fort de son papier et de son crayon. Il se renseignerait, bien sûr, et me tiendrait au courant. L'Élysée appuierait certainement la demande de mon avocat. Pour autant, ladite commission ne pourrait prendre en compte que le préjudice subi par la séquestration, puisque la procédure judiciaire concernait seulement les pirates. Il s'agissait surtout de s'assurer que je pourrais payer les frais liés à la procédure.

Enfin, je revins sur les propos de M. Morin, tenus le 10 avril lors de la conférence officielle avec l'AFP, trouvant scandaleux qu'un ministre pût formuler tant d'erreurs, notamment sur notre position géographique lors de la prise d'otages (il prétendait en effet que nous nous trouvions dans le golfe d'Aden). Je me levai pour tendre à M. Sarkozy une carte de notre trajet et, par la même occasion, montrer notre position du 4 avril. Je ne sais s'il voulait anticiper une grossière erreur, mais l'amiral se leva lui aussi brusquement et pointa un doigt ferme sur la carte : « Vous voyez, monsieur le président, le golfe d'Aden est ici, et *Tanit* était à cette position, dans l'océan Indien. » J'en profitai pour souligner que les erreurs de localisation énoncées par M. Morin avaient conduit les journalistes à se montrer abjects à notre égard, accusant notre irresponsabilité.

Le président ne sut que répondre ; l'amiral Guillaud, en revanche, mit quelques semaines plus tard des mots sur cette communication mal ficelée, dans un entretien de couloir avec un de mes proches : « Vous savez, M. Morin, il tire vite mais souvent à côté. »

Quoi qu'il en soit, M. Sarkozy considérait qu'il était de son devoir de soutenir une jeune veuve : selon lui, les circonstances de la mort de mon mari ne changeaient rien au fait qu'il voulait m'épauler pour l'avenir. Je m'arrêtai dès lors sur ces fameuses circonstances : de multiples erreurs avaient abouti au drame, j'en étais convaincue et le fait que je me refuse à porter plainte n'était en rien une manière d'absoudre les responsables de l'état-major. Il m'importait que le tireur ne se retrouve pas, au bout du compte, seul responsable.

JE N'AIMAIS PAS la manière dont les choses avaient l'air de s'agencer, je redoutais des manœuvres douteuses, pressentant un futur dédouanement de leur part. Lorsqu'il faudrait dire « À qui la faute ? », lorsqu'il s'agirait de l'assumer, cette faute, aux yeux de tous

les concitoyens, une méchante intuition me soufflait qu'il n'y aurait plus personne. Devais-je croire,
comme certains, à la réputation de notre président,
selon laquelle il ne tiendrait pas ses promesses ? Il
avait insisté pour que je vienne car il voulait m'aider
pour l'avenir. Ce soutien, à mon sens, signifiait sinon
l'aveu d'un échec, clairement celui de la vérité. Cette
aide devait donc être concrétisée au plus vite afin de
crédibiliser mes dires sur les circonstances exactes de
ce fiasco, et cela était bien plus important à mes yeux
que l'aspect financier. Alors, je pris la parole : « Vous
savez, monsieur le président, vous avez dit un jour :
"La France, on l'aime ou on la quitte." Eh bien Florent
et moi avions choisi de la quitter, un certain temps,
sans rien demander à personne ; pourtant vous nous
avez rattrapés. » Ce à quoi il répondit, avec un aplomb
qui aurait fait douter le plus averti : « Mais Madame,
je n'ai jamais dit ça. » Je n'insistai pas, le temps m'était
compté, et je n'étais pas là pour entrer dans ce genre
de débat[1].

Quelques mois plus tard, des événements a priori
sans rapport viendraient légitimer ma méfiance à
l'égard du gouvernement : le 22 juillet 2009, près de

1. Plus tard, j'eus tout de même la curiosité de vérifier ces
dires, et trouvai ainsi sur Internet la vidéo du journal de 20 heures
de TF1 du 30 avril 2007, où Nicolas Sarkozy, en campagne,
s'exprimait effectivement en d'autres termes : « S'il y en a que
cela gêne d'être en France, je le dis avec le sourire mais avec
fermeté, qu'ils ne se gênent pas pour quitter un pays qu'ils
n'aiment pas. » D'ailleurs ce n'était pas vraiment de la France
que nous nous étions éloignés en prenant la mer, mais des
années moroses qui s'annonçaient.

Marseille, un incendie s'était déclaré suite à des exercices de tirs militaires. Immédiatement, on avait pointé l'adjudant-chef qui dirigeait la séance de tirs, l'accusant d'avoir fait usage de balles traçantes malgré l'interdiction en vigueur dans la région. M. Morin avait évoqué dès le lendemain une erreur « individuelle[1] », et le commandement militaire désigné pour l'enquête mit cet homme en accusation, et lui seul. Quand les médias soupçonnèrent l'acharnement, M. Morin, toujours lui, se défendit : « Dans cette affaire, il y a eu clairement une erreur, une désobéissance.[2] » Cependant le rapport remis aux juges d'instruction de Marseille en charge du dossier, qui s'appuie sur les douilles retrouvées sur les lieux, indique qu'il s'agit de munitions classiques et non de balles traçantes, dont la portée est plus importante.

Cette information ne fit que justifier mes craintes. J'eus le sentiment que la solidarité militaire s'effaçait vite lorsqu'il s'agissait de justifier des erreurs. Et justement, je ne voulais pas que le commando auteur du tir soit désigné comme seul responsable de la mort de Florent car je sais que de nombreux manquements l'ont conduit à une mauvaise évaluation de la menace.

J'intervins encore ; je voulais que M. Sarkozy comprenne que, certes, nous étions à mille lieues de raisonner de la même manière, mais que nos convictions, qui nous avaient amenés à partir sur les océans avec notre fils, n'en étaient pas moins pertinentes : Florent et moi avions délibérément fait le choix de

1. Lepoint.fr, 23 juillet 2009.
2. Lexpress.fr, 16 octobre 2009.

gagner moins pour profiter plus de notre bonheur. Rien à faire, il m'envisageait comme une « extraterrestre ». Aussi, quand il me demanda quel travail je souhaitais faire, insistant pour m'accompagner dans mes recherches professionnelles, je lui fis remarquer, quinze jours après le décès de mon mari, que ma priorité n'était pas de laisser mon fils seul du matin au soir. Il avait besoin de moi et je devais m'investir d'abord dans notre reconstruction à tous les deux. Psychologiquement, j'aurais été incapable du reste de me concentrer sur quoi que ce soit d'autre.

Je glissai sur ses propositions avec froideur, ne lui offrant aucune prise, alors il revint à ses paroles premières, qui étaient son seul atout. Il répéta qu'il m'aiderait, ajoutant une fois encore « quelle que soit l'origine de la balle ». J'eus tôt fait de répondre que sa volonté de m'épauler à tout prix prouvait à elle seule l'origine de cette foutue balle. D'ailleurs, si Florent avait été tué par un pirate, ou par une balle perdue dans un échange de tirs entre militaires et preneurs d'otages, je n'aurais eu aucune raison de rencontrer le président, et n'aurais jamais accepté d'entrevue avec lui.

En vérité, j'étais venue pour Colin et pour obtenir une reconnaissance des faits – Florent est bien mort d'une balle française, il n'y a pas eu de tirs nourris mais une erreur d'évaluation de la menace –, or je voyais l'entretien s'échouer sur des paroles abstraites, sans que rien de bien tangible n'eût été proposé et acté. Aujourd'hui encore, Colin me demande souvent si le militaire qui a tué son Papa sera puni. Je suis dans l'incapacité de mener une procédure judiciaire contre l'État car je sais que, malgré les nombreux éléments en notre possession, le pouvoir sera toujours le plus fort et les responsables seront absents car mutés ou élus ailleurs. De quel autre moyen disposé-je pour montrer à mon fils que la responsabilité de l'État est reconnue ?

L'avion qui avait survolé notre voilier le 4 avril n'avait rien signalé à son retour, faisant perdre quarante-huit heures aux négociations. Nous étions en contact quotidien avec Alindien, pourtant ils ne nous ont pas prévenus de l'attaque manquée d'un cargo, le 4 au matin dans notre zone, et n'ont pas pris en compte le signalement de notre absence au point quotidien par ma mère. Pourquoi Alindien n'a-t-il pas demandé les debriefings des avions ayant survolé la zone ? Les tireurs d'élite avaient raté leurs tirs, mettant les otages en danger ainsi que les commandos menant l'assaut à bord. Enfin, la technique agressive utilisée pour nous libérer restait à discuter. D'autant que ma mère avait prévenu M. Galand, de la cellule de crise, à plusieurs reprises, qu'un assaut de jour sur *Tanit* était impensable.

L'explication de la pénombre qui aurait troublé le commando ne m'a jamais convaincue. Notre cabine était entièrement blanche, entourée et surmontée de hublots ; il faisait grand jour et le commando se trouvait debout au-dessus de nous, hublot ouvert, Florent à moins de 2 mètres. Torse nu, Florent était aussi le seul homme à avoir les cheveux longs et plutôt clairs.

Le souvenir est lancinant, nous avions pensé le temps d'une seconde que nous étions sauvés, et cette seconde-là était la plus stressante pour les commandos qui montaient à l'assaut. L'homme qui a tiré a agi pour protéger son équipe, avec qui il était uni ; Florent a agi pour protéger son équipage, animé par le même sentiment fusionnel. Il me semble qu'un des reproches que je puisse faire à l'équipe qui a pensé et organisé l'assaut, c'est de ne pas avoir pris en compte le caractère de Florent, calme, raisonné et responsable, en le prévenant de ne surtout pas bouger. En analysant les propos échangés entre Florent et le médiateur vendredi, nous savions que l'assaut allait être lancé. Il est étrange d'avoir pensé que nous en informer allait modifier notre comportement et alerter les pirates. Nous avions tous, captifs et pirates, conscience de ce qui se tramait.

Nous avions pris soin de donner aux pirates des vêtements colorés et nous nous étions montrés à plusieurs reprises par le hublot arrière, informant le négociateur de nos positions exactes, du nombre de pirates à bord et du nombre d'armes. Nous avions eu, à quelques reprises, l'occasion d'échanger quelques mots ; à aucun moment nous ne fûmes informés que la chose la plus importante à retenir était de ne pas bouger.

Le gouvernement a tout fait pour que les citoyens nous reprochent le coût de notre libération, mais pourquoi ne pas nous avoir laissé aller à terre ? Pourquoi avoir médiatisé notre captivité au lieu de privilégier la discrétion ? Pourquoi ne pas avoir demandé à nos familles de rassembler des fonds pour une rançon ?

L'entretien avançait. Je ne percevais aucun revenu, je n'étais pas en état de travailler, je n'avais plus de toit et vivais chez ma belle-sœur – autant d'éléments qui faisaient de ma situation un cas problématique.

Bientôt, on m'inviterait à sortir et c'en serait peut-être fini de la bonne volonté du président. Alors une idée me vint, bien concrète. Le matin même, dans le train pour Paris, Agathe m'avait informée que la maison dans laquelle Florent et moi avions conçu Colin était à vendre. Je voulus prendre la nouvelle comme un signe. Je glissai donc l'information au président, qui me recommanda d'envoyer tous les détails à l'amiral Guillaud. Ma requête était une manière d'encourager M. Sarkozy à se montrer concret.

Lors de ce premier entretien, M. Sarkozy m'avait promis que la vérité serait faite sur la mort de Florent et qu'il demanderait au ministère de la Défense d'apporter tout son soutien à l'enquête en cours. « Personne ne vous demandera de vous taire, Madame, vous avez le droit d'exprimer votre vérité. » Ce jour-là, nous savions déjà, tous, qui avait appuyé sur la détente ; seule différence : le gouvernement connaissait le contexte. Je devais maintenant m'atteler à le découvrir à mon tour, entraînée dans un univers étrange où « tout le monde savait que tout le monde savait... Mais personne ne pouvait affirmer quoi que ce soit », s'abritant avec un soulagement non dissimulé derrière « l'enquête en cours ».

L'entretien arriva à son terme, M. Sarkozy m'invita à l'accompagner dans la salle attenante, où nous rejoindrions famille, équipiers et officiels. Je n'y tenais pas, je le dis et il ne parut pas s'offusquer de ma décision. La main sur la poignée de la porte, prêt à quitter la pièce, il ajouta : « Madame, ma porte est ouverte. Peut-être viendrez-vous avec Colin la prochaine fois ? » Il était bien sûr impensable que j'expose mon fils ainsi, comme nous avions refusé la présence des journalistes et des photographes à cet entretien. Quand il eut quitté la pièce, je regagnai le hall et allai retrouver mon ami d'enfance. Là, l'amiral Guillaud vint me rejoindre et me tendit sa carte de visite. Nous abordâmes alors la situation de manière un peu plus précise, notamment le survol du premier avion. Depuis mon retour, personne n'avait encore su m'expliquer sa présence sur la zone et l'armée à laquelle il appartenait. Cela me fit rebondir sur Ecoterra, l'ONG kenyane qui se prétend garde-côtes et qui, singulièrement, fut la première à annoncer notre prise d'otages. Comment cette ONG avait-elle pu livrer des informations sur notre situation, y compris à l'État français ? Non seulement elle avait annoncé notre captivité, mais elle avait également réussi, un peu plus tard, à entrer en contact avec ma mère par voie de mail, indiquant qu'elle avait proposé à la cellule de crise de servir d'intermédiaire avec les pirates. L'amiral me pria de lui envoyer tout ce que j'avais de documentation sur Ecoterra. J'obtempérai le lendemain, par mail ; il accusa réception de mon message le 24 avril : « Je vous remercie de vos envois, et vous promets que je vous tiendrai informée de ce que nous trouverons sur cette ONG si étrange. » De quoi nourrir mes espoirs d'éclaircissements.

Mon ami et moi étions toujours dans le hall lorsqu'un individu dégingandé passa, puis s'arrêta furtivement pour me claquer la bise avant de s'engager dans l'escalier. Il se retourna soudain vers nous : « Vous m'avez reconnu ? Monsieur Morin ! » Je restai interdite devant son comportement, si désinvolte qu'il en devenait déplacé. Plus tard, Francis, Marie et Agathe confirmèrent mes impressions : ils me rapportèrent combien son attitude avait été légère, tandis qu'ils attendaient le président, le ministre s'était franchement servi en chocolats, n'hésitant pas à leur parler la bouche pleine.

DE RETOUR EN BRETAGNE, nous avions prévu de faire un hommage musical pour Florent, le 29 avril, afin de permettre aux amis moins proches de se recueillir. Dans la chapelle des Carmes, transformée en auditorium, où il avait joué tant de fois quand il étudiait au conservatoire, son professeur de clarinette avait organisé un concert devant une salle bondée.

L'amiral Gillier m'avait demandé s'il pouvait y assister ; il était le bienvenu. Ce jour-là, il avait bien voulu répondre à certaines de mes questions, laissées en suspens lors de notre dernière rencontre. Il m'avait notamment confirmé que le premier avion qui nous avait survolés, le 4 avril, était un patrouilleur maritime espagnol, précisant que les Espagnols étaient établis, à l'époque, à Djibouti. À leur retour d'observation, n'ayant pas remarqué que nous étions en difficulté, ils n'avaient transmis l'information ni aux militaires français, pourtant installés à proximité, ni à Alindien. Il ne leur en serait fait mention qu'une fois notre prise d'otages confirmée, soit après le 6 avril. Je ne comprenais pas comment, survolant à plusieurs reprises un voilier qui faisait route plein Ouest – direction la Somalie –, un skiff amarré à l'arrière, une équipe engagée pour surveiller la piraterie avait pu ne pas relever l'étrangeté de la situation. Pourquoi un tel manque de coordination ? C'était pourtant la réalité du terrain. Alindien, Atalante, l'OTAN, toutes ces instances, dirigées vers un même but, ne travaillaient pas forcément main dans la main et les échanges d'informations n'avaient rien de systématique.

Ma conversation avec l'amiral me permit aussi de comprendre pourquoi je n'acceptais pas la version officielle, martelée par les membres du gouvernement, M. Morin en tête. Comment se pouvait-il que trois pirates aient été neutralisés simultanément par les tireurs d'élite – deux morts sur le pont et un blessé tombé à l'eau ? C'était simplement impossible car les éléments dont je disposais ne confortaient pas du tout cette version. Il y avait bien eu deux morts au final, mais ils se trouvaient à l'intérieur du voilier, et l'un d'eux n'était pas encore décédé à l'arrivée des commandos ; quant au troisième, blessé, il n'était pas tombé à l'eau mais se trouvait dans le cockpit. L'explication que me fournit l'amiral fut la première grande clef qui m'aida à dénouer le fil des événements. Je ne veux pas trahir sa confiance en rapportant ses propos. Je sais que ce n'était pas son rôle de me donner cette indication (et qu'il fut pour cela sévèrement critiqué par ses pairs), cependant elle ne remet pas en cause la sécurité de ses hommes et nous informe seulement sur la possibilité d'une défaillance humaine au sein des meilleures troupes d'élite françaises. Aussi, en plus d'apporter une preuve à mes dires, les citoyens français sont en droit de connaître la vérité sur nos forces spéciales, dans une telle situation. Mon intention n'est pas de les accabler, mais d'interroger les décisions de ceux qui, à la tête de l'armée, les commandent.

Ainsi, les tireurs avaient manqué leurs tirs, l'un d'eux tirant avant que l'ordre soit complètement énoncé et fragilisant en conséquence le reste de l'opération. Jaama, campé dans la descente et dont ne dépassait que le visage, avait bien été touché à la tête. « Émail Diamant », lui, avait été atteint à la poitrine, ce qui expliquait que Steven ait vu du sang maculer son tee-shirt et qu'il ait pu redescendre. Enfin, Abdi avait échappé au pire et n'avait été blessé qu'au pied. Nous étions loin de la version officielle reprise allégrement par les médias.

Enfin, l'amiral me proposait, si je le souhaitais, de rencontrer son homme, ce commando qui se sentait responsable du tir. Je devais prendre le temps d'y réfléchir même si je lui dis d'emblée que la rencontre m'aiderait. Avec le recul, et malgré les critiques qu'il a endurées, il me semble qu'il est tout à son honneur d'avoir agi ainsi. Je me demande d'ailleurs souvent ce qui se serait passé s'il avait été le commandant des opérations sur place. Aurait-il donné l'ordre de cet assaut digne d'un western ?

Le jour même, je contactai l'amiral Guillaud par mail pour l'informer que l'avion dont je lui avais parlé était espagnol. Je lui demandai de m'aider à comprendre pourquoi cet équipage n'avait pas fait circuler l'information au sein des forces armées en surveillance dans la zone. Bien sûr, ces précisions ne me ramèneraient pas Florent, mais puisque je réalisais que nous n'avions pas eu notre mot à dire dans l'intervention, et que le mot d'ordre du président était

« personne à terre », je trouvais inconcevable qu'on ait perdu quarante-huit heures à cause d'une telle erreur. De fait, si la première frégate était arrivée sur zone le mardi soir, grâce aux Espagnols, elle aurait pu être là dès le dimanche soir. Du reste, Alindien connaissait notre position exacte du samedi puisque ma mère leur avait transmis le jour même par mail, à 13 h 15. Ayant vu notre sillage, les Espagnols auraient pu informer que nous naviguions au moteur, ce qui fut le cas jusqu'au mercredi. Le moteur étant très bruyant, il aurait facilité une approche nocturne.

Après quelques recherches, l'amiral Guillaud me confirma lui aussi que l'équipage de cet avion n'avait rien suspecté. Et pourtant ils avaient pris des photos, qu'il avait sous les yeux. Depuis ce jour, je n'ai eu de cesse de demander au juge d'instruction de réclamer ces photos, ainsi que le plan de vol. Cependant, il ne peut répondre à ma requête, car, dit-il, ces documents n'apporteraient rien à l'enquête.

JE PASSAI TOUT LE MOIS DE MAI à tenter de rassembler de nouveaux éléments, cherchant notamment à savoir ce que les pirates fabriquaient dans cette zone. Je voulais croire que ce n'était qu'un malheureux hasard, qu'ils n'étaient pas là pour nous. Ils avaient même expliqué à Florent qu'ils avaient passé plusieurs jours en mer sans boire et sans manger, avant de croiser notre voilier. En fouillant sur le site du Bureau maritime international (BMI)[1], je constatai qu'un navire avait évité une attaque à quelques

1. www.icc-ccs.org

milles de nous, le 4 avril au matin. En tout cas, le porte-container avait signalé les faits à 6 h 41 UTC au BMI qui les avait transmis aux forces de coalition. Quand j'eus accès aux dépositions des pirates, j'enregistrai qu'ils étaient bien à l'origine de ce coup manqué, ils s'étaient même souvenus du nom du bateau en question. Alors je poussai un peu mes recherches et tombai sur un article de la BBC[1] du 5 avril qui faisait allusion à *L'Africa Star*, ce navire qui avait échappé à « nos » pirates. Selon la BBC, c'est un avion envoyé sur zone par les Anglais qui les aurait fait fuir. Malgré mon insistance, le gouvernement français n'a jamais su me dire si l'avion espagnol avait un lien avec le Mayday[2] lancé par *L'Africa Star*. Y aurait-il eu aussi un avion anglais sur zone ?

J'étais de plus en plus amère devant le manque évident de coordination interarmées. À plusieurs reprises, des attaques avaient été évitées, le contrôle naval volontaire (CNV) permettant de suivre la position des navires en fonction des risques. Normalement, le but est de pouvoir prévenir les équipages d'un danger proche afin qu'ils changent de cap, ou mieux d'envoyer un hélicoptère ou un avion sur zone pour déjouer la menace de l'attaque. Plus de six heures s'étaient écoulées entre le signalement de l'*Africa Star* et notre prise d'otages. L'explication qui m'est donnée aujourd'hui par l'armée est que le CNV n'est

1. www.news.bbc.co.uk
2. Expression utilisée internationalement dans les communications radiotéléphoniques (VHF) pour signaler qu'un avion ou qu'un bateau est en détresse.

pas destiné aux particuliers. Alors pourquoi nous avoir demandé de communiquer quotidiennement notre position ?

Je restai en contact régulier avec l'amiral Gillier et lui posai des questions comme elles me venaient. Le 1er mai, l'amiral m'adressa un mail en prévision d'une rencontre avec le commando responsable du tir contre Florent, dans lequel il me disait : « Cette conversation ne ramènera pas Florent, et si le résultat est "c'est trop bête", pensez-vous que cela vous aidera à mieux accepter la terrible situation que vous vivez ? Par ailleurs, vous comprendrez, je suis sûr, que ma compassion va autant à cet homme, ce commando, qu'à vous. Même si nous ne sommes pas sûrs à ce jour des causes directes, il est déchiré. [...] Il se sent terriblement responsable et ne l'a jamais caché. Mon souci est de l'aider également à se reconstruire. [...] Aussi surprenant que cela puisse paraître, cette affaire vous unit et non vous oppose. »

Trois jours plus tard, je lui fis cette réponse : « En ce qui concerne la rencontre avec votre homme, ne craignez pas que je l'agresse, ce n'est pas du tout mon intention. En revanche, il est vrai que j'ai besoin de reconstruire les derniers instants de Florent, que j'ai vécus par sensation... J'ai vraiment besoin de l'écouter comme la clef manquante à mon histoire. » Tout cela était stupide, et je le savais déjà. Seulement, j'avais besoin d'entendre la vérité telle qu'elle est, avec ses aberrations. Mon intention n'était pas, je le répète, d'accabler cet homme, mais je devais le voir, c'est un souhait que je ne peux expliquer. Si ce n'est

ces questions qui me taraudaient, inlassablement :
comment un homme formé à un tel entraînement
a-t-il pu commettre une si grande erreur ? Comment
accepter qu'un des meilleurs commandos de France
ait pu tirer sans avoir clairement identifié sa cible ?

Certainement contraint, l'amiral continuait de dire
qu'il n'était « pas sûr à ce jour des causes directes »
de la mort de Florent.

À l'inverse de l'amiral Guillaud qui ne m'avait donné
aucune nouvelle d'Ecoterra, l'amiral Gillier m'apprit,
dans ce même courriel, que l'Armée ne connaissait
pas l'ONG avant qu'elle n'intervienne pour *Tanit*. Il
me fit part de ses suspicions sur l'honnêteté de cette
organisation. Je partageai ses doutes puisque Ecoterra
a plusieurs fois annoncé, en temps réel, des informations que seuls les pirates pouvaient détenir,
comme par exemple le numéro d'une des frégates qui
se trouvaient près de nous. Un jeune couple, parti de
Vannes quelques mois après nous, prit contact avec
moi sur le blog pour me demander des informations.
Il projetait de rallier le Yémen à La Réunion. Je
m'inquiétai quand il m'écrivit, en réponse à mes mises
en garde contre cette ONG : « OK pour Ecoterra : on
était assez agréablement surpris de leur réactivité (à
la différence d'Alindien, qui, mis à part un long mail
destiné à nous faire renoncer, n'a pas vraiment donné
l'impression de se soucier de l'évolution de notre petit
bateau). »

LE MOIS DE MAI fut long, très long. Je réalisais peu à
peu que, en dépit des promesses, personne ne prendrait jamais la parole pour rétablir officiellement la

vérité. Plus l'enquête avançait et plus je prenais la mesure de son inanité. Bien sûr elle servirait à juger les pirates pour le crime commis, mais je sentais bien que les circonstances de la mort de Florent n'étaient pas la préoccupation principale du procureur. Pour donner une idée générale de l'état de cette procédure – procédure en cours, dont je n'ai pas le droit de révéler la substance –, je n'ai pas encore réussi à récupérer tous nos objets personnels (auxquels je tiens) bien qu'il m'ait été précisé, dès le mois d'avril, qu'ils n'étaient pas sous scellés et qu'ils étaient prêts à m'être rendus.

Je faisais part de mon désarroi à l'amiral Gillier par mail, le 17 mai : « En tout cas, le décès de Florent est bien envahissant, trop sûrement pour dire la vérité simplement. » Quelques jours plus tôt, j'expliquai déjà à Christophe, par mail, que j'avais des doutes sur les intérêts politiques en jeu du chef de l'État dans cette histoire. Pourtant, Christophe voulait me rassurer : « Une réponse vous est due, et le président s'est exprimé dans ce sens devant votre famille. » Étais-je donc la seule à ne plus y croire ?

À la fin du mois de mai, j'étais toujours sans nouvelles de l'amiral Guillaud bien qu'il m'ait informée, par mail en date du 24 avril, que le commissaire Jacob s'était « déjà mis en relation avec l'administration centrale pour faire explorer avec bienveillance vos droits ». Comme le président de la République avait réclamé des démarches rapides et m'avait priée de l'informer de leur évolution (« Ma porte reste ouverte »), je demandai un nouveau rendez-vous avec lui. La secrétaire du cabinet présidentiel me confirma, le jour de ma demande, que le président me recevrait à l'Élysée le 3 juin à 18 heures.

Le 1er juin, j'écrivais à nouveau à Christophe pour l'informer que, restée sans nouvelles de l'Élysée et du ministère de la Défense, j'avais donc sollicité un nouvel entretien : « En ce qui concerne mon besoin de dire la vérité, il est toujours aussi fort. J'ai bien noté, à plusieurs reprises, le discours de l'Élysée : "Vous saurez tout, toutes les pièces militaires nécessaires seront données à la justice...". Je sais bien que le président ou le ministre de la Défense ne reviendront jamais sur ce qui a été dit jusqu'ici, j'en ai pris mon parti. D'autant plus que nous savons aujourd'hui qu'il n'y a quasiment aucune pièce militaire dans le dossier, que les demandes seront compliquées étant donné que, finalement, il n'est pas vraiment question de parler de la manière précise dont Florent est mort. »

Je me rendais à ce rendez-vous, vêtue comme à mon habitude. J'étais décidée à me montrer ferme, à faire entendre au président que je ne céderais à aucune pression et me battrais pour que la vérité soit faite, qu'aucune de ses promesses ne me ferait abdiquer. S'il me recevait aussi vite et me proposait si « gentiment » de l'aide, cela ne pouvait aller à l'encontre de son intérêt. Il paraissait inconcevable que M. Sarkozy veuille m'aider par simple empathie, et je restais intimement persuadée qu'il cherchait la meilleure solution pour éviter une critique publique de ce que la presse pourrait vite nommer « fiasco » ou « bavure ».

J'étais à nouveau accompagnée par l'amiral Guillaud. Le président était en retard car il avait eu une journée chargée. En effet, c'était le jour de l'hommage rendu aux victimes du crash de l'Airbus A330 à la cathédrale Notre-Dame de Paris, auquel le président avait assisté. Je suis donc restée un bon moment avec M. Guillaud dans une salle d'attente du premier étage. J'étais installée face à lui, et dans son dos un garde républicain était assis devant un petit bureau.

L'amiral m'a d'emblée prise de haut en s'adressant à moi sur un ton condescendant. Il déclarait qu'*ils* ne pouvaient rien faire concernant la maison puisque je ne leur avais fait part d'aucun projet professionnel. Je lui répondais que je n'écartais pas l'idée de créer une nouvelle entreprise, mais qu'actuellement j'étais incapable d'assumer mon rôle de maman, mon retour à la vie en France et les charges induites par un tel projet.

Ce à quoi, sans sourciller, il a rétorqué : « Mais quelles charges, Madame ? »

Je restai hébétée par sa question, bien représentative du monde préservé dans lequel il évoluait. J'ai dû lui répondre sur un ton légèrement contrarié, je pense, puisque j'ai croisé le regard approbateur du garde dans son dos : « Mais Monsieur, je ne sais pas comment cela se passe dans votre vie, mais vous savez, l'Urssaf, le RSI, les impôts, la taxe professionnelle… » Cette incompréhension nous plongea aussitôt dans un silence mêlé de gêne.

À ce moment-là, le chef de l'État recevait dans son bureau une délégation iranienne, le ministre iranien des Affaires étrangères, Manouchehr Mottaki. Ils devaient évoquer la relance du dialogue entre l'Iran et les grandes puissances sur son programme nucléaire. Tiraillé, très certainement, entre la position qu'il essayait de tenir face aux États-Unis et les intérêts des grandes entreprises françaises en Iran, j'ai flairé en le voyant que la discussion avait été difficile.

À notre nouvel entretien participait aussi M. Guéant, secrétaire général de l'Élysée. J'avais compris qu'il valait toujours mieux remettre en cause ses auxiliaires que lui-même, c'est pourquoi j'ai commencé l'entretien en disant que M. Guillaud ne m'avait fourni aucun renseignement complémentaire depuis le 23 avril dernier.

Le chef de l'État lui manifesta son désaccord puis se tourna vers M. Guéant, suite à quoi il n'adressa quasiment plus la parole à son chef d'état-major. Il lui demanda comment un financement via la CIVI était envisageable. Alors je lui rappelai brièvement que la CIVI n'avait pas pour fonction d'assumer le préjudice du décès de Florent puisque le tir était militaire. Ce à quoi il rétorqua aussitôt : « Oui, en l'occurrence le responsable ici est l'État et l'État est solvable. »

Depuis notre premier rendez-vous, j'avais l'impression que ses promesses servaient à noyer le poisson, si je puis m'exprimer ainsi. Comme si le fait de me promettre de l'argent ferait de moi une personne malléable, voire soumise. La vérité est que je me fiche de cet argent, les indemnités font partie d'un processus usuel mais elles ne peuvent servir à garantir mon silence. Je n'évolue pas dans leur univers, ignore leurs codes et me comporte bien différemment avec les gens ; du coup, je me suis vite rendu compte que mon attitude pouvait les déstabiliser. Je suis la seule à graviter dans chacune des branches de l'histoire de *Tanit* ; les militaires me parlaient, les politiques me parlaient, les enquêteurs me parlaient et, fait essentiel, je me trouvais sur *Tanit* au moment de l'intervention. Je ne fus pas embarrassée de leur faire savoir que j'avais beaucoup d'éléments. Les mots du président furent clairs : « Madame, c'est votre vérité et personne ne peut vous empêcher de parler, surtout pas moi. En revanche, nous sommes bien d'accord que si nous vous aidons, vous vous engagez à ne pas porter plainte. » Puisque je m'y étais déjà engagée pour d'autres raisons, je ne pouvais qu'acquiescer.

MM. Sarkozy et Guéant parlaient d'indemnités, semblant discuter de sommes entre eux, de fonds qui pouvaient être rassemblés. Le secrétaire général de l'Élysée me recommanda même de ne pas m'en faire car, il s'était renseigné, une bourse de veuve de guerre allait m'être attribuée prochainement, indispensable selon lui pour m'aider à redémarrer. Le président ne cessait de dire que l'argent ne ramènerait pas Florent mais qu'il pensait que c'était important que Colin et moi n'ayons pas à nous en inquiéter.

C'est aussi ce jour-là qu'ils m'avaient expliqué que Colin aurait le statut de Pupille de la Nation, ce qui lui permettrait plus tard d'étudier dans de grandes écoles, entre autres. Ils ne me précisèrent pas que ce statut devait être accordé par un juge. Bien sûr, ils étaient revenus sur la possibilité de me confier un poste dans l'administration. Cependant, au risque de me faire considérer comme une malotrue, je leur répétais, une fois encore, que mon rêve n'avait jamais été d'embrasser une carrière de fonctionnaire et que ce genre de piston ne faisait pas partie de mes codes. Je travaillais, comme Florent, depuis mes vingt et un ans, j'avais toujours fait sans eux et pouvais bien continuer.

Des membres de la cellule de crise à ma famille, tout le monde pensait que Colin devait être indemnisé. Je leur avais parlé de la maison au cours du premier rendez-vous pour savoir de quelle manière le président souhaitait nous soutenir. Cet argent, bien sûr, m'aurait permis de me consacrer à mon fils mais il n'a jamais constitué une carotte pour me faire avancer. Que la vérité soit dite compte plus à mes yeux. Je leur expliquai, une fois encore, que l'origine de la balle faisait une différence importante. Florent et moi avions fait un choix, voyager à travers le monde, ce choix comportait des risques que nous étions prêts à assumer, ensemble. Nous avions mesuré, bien avant l'arrivée de l'armée française, l'ampleur du désastre si un des pirates venait à tirer avec sa kalachnikov... Nous y étions résignés. Mais nous espérions aussi arriver en Somalie sans trop de casse.

Dans notre situation, nous n'avions eu aucun poids sur la décision présidentielle, nous n'avions pu que faire confiance aux commandos sachant parfaitement que les deux chefs pirates n'auraient pas hésité à nous abattre pendant l'assaut, s'ils l'avaient pu. Déjà que la présence des frégates, si près du voilier, avait puissamment fait monter leur taux d'adrénaline. Seulement Florent était décédé sur moi, quelques secondes après l'apparition du militaire français, qui se tenait en défense au-dessus de nous, sur le pont. Quelques secondes au cours desquelles, je le redis, nous avons cru être sauvés.

J'insistai auprès du président sur le fait que je mesurais la portée, pour ce militaire, des erreurs accumulées lors de notre sauvetage. Le procès engagé ne servirait pas à juger le tueur de Florent, son décès n'y étant mentionné que comme « circonstance aggravante à la séquestration ». Or, si je voulais qu'une procédure soit enclenchée pour faire connaître les circonstances exactes de la mort de mon mari, j'étais obligée de porter plainte contre l'armée française, et donc contre l'État.

Je lui répétai : je ne souhaitais pas que le commando soit tenu comme l'unique responsable, c'est pourquoi il était totalement exclu de lancer une telle procédure. D'autant que je ne suis pas dupe. Florent lui-même n'aurait pas voulu que je me lance vainement dans un tel combat contre le pouvoir. Une procédure contre l'État, vu les possibles manipulations sur *Tanit* avant la pose des scellés, ne me garantirait pas non plus la vérité. En effet, même si le président a demandé à son ministre de la Défense de transmettre toutes les pièces militaires, *Tanit* est restée plusieurs semaines aux mains des militaires avant que les enquêteurs ne se rendent à Djibouti, en mai, faire les premiers relevés et poser les scellés. Et puis, fait étrange, la balle qui a tué Florent demeure introuvable.

Je voulais que le président tienne sa promesse et reconnaisse officiellement sa responsabilité, en tant que chef des armées, dans la mort de Florent, car elle constitue aussi la preuve de ses erreurs : décider de mener, à la hâte, un assaut militaire sur un petit voilier ; risquer la vie des passagers, dont un jeune enfant ainsi que celle des commandos. M. Sarkozy, qui n'agit peut-être pas sans intérêt, a pu consentir à m'aider, intimement convaincu qu'il a, le jour de l'assaut, pris la mauvaise décision sur de mauvais conseils.

Je les observais tous les trois – le chef de l'État, le secrétaire général et l'amiral – sans pouvoir m'ôter de la tête l'idée que tout, dans ce rendez-vous, avait été calculé, le moindre petit détail pensé, anticipé. Et sans doute étais-je encore loin de la vérité.

Dès lors que j'avais laissé planer le doute sur l'origine du tir, ils avaient su qu'ils pourraient organiser la vérité à leur convenance.

Je me battais, pourtant, réitérant que ma colère n'était pas dirigée contre les militaires ; ils font partie de l'armée française, ils ont fait le choix de l'intégrer et, en conséquence, ils servent une politique d'État, qui que soit le chef. Le chef, en ce moment, c'est M. Sarkozy. Et même si les tireurs d'élite et les commandos ont commis des erreurs, c'était à lui de les assumer. À moins que les militaires l'aient induit en erreur en lui affirmant que l'opération était réalisable ? À lui de me le dire.

J'enchaînais les questions : pourquoi ne nous a-t-il pas laissés aller à terre ? Pour quelles raisons en a-t-il décidé autrement ? Était-ce pour notre sécurité, sachant bien qu'aucun otage européen n'a jamais été exécuté par les pirates et que tous ou presque sont revenus vivants, même après de longs mois de captivité, pour certains ? Ou bien était-ce un moyen d'appuyer la communication politique du gouvernement, quelles qu'en soient les conséquences humaines ? Nous serions peut-être à ce jour encore séquestrés sur *Tanit* ? Peut-être, mais le cas est peu probable.

Nous avons toujours beaucoup parlé à Colin ; aujourd'hui il arrive à surmonter psychologiquement la mort de son père, et toute la violence qu'il a vécue. Alors une séquestration, même longue et difficile, il l'aurait supportée si nous, ses deux parents, avions été à ses côtés. Colin, Florent et moi n'avons jamais rien demandé, que d'être ensemble. Tous les trois.

En sortant de l'entretien, l'amiral et M. Guéant me demandèrent comment allait Colin, alors je leur ai dit : « Vous savez, il veut combattre les méchants et reconstruire les maisons détruites par la guerre ». Ils ont osé me répondre qu'il ferait un bon soldat ! N'auraient-ils définitivement rien compris de tout ce que je leur dis ?

LE 9 JUIN 2009, l'amiral Gillier me recevait à son domicile et me présentait à Alain (prénom que l'on donne habituellement au commando pour conserver son anonymat). Je pense que si l'amiral avait accepté d'organiser cette rencontre, c'est autant pour moi que pour son homme ; il ne s'en était d'ailleurs pas caché quand il m'avait proposé ce rendez-vous.

Comme la fois précédente, l'amiral vint me chercher à la gare de Lorient pour me conduire à son domicile. Dans la voiture, il réitérait ses propos : à ce jour, il ne pouvait affirmer la culpabilité de son commando. Il parut donc très étonné quand je lui dis que M. Sarkozy m'avait confirmé, le 3 juin, que la balle était française et que sa responsabilité était donc engagée. Il dit, laconique : « Alors il en sait plus que moi. » Je n'arrivais pas à comprendre, à l'époque, pourquoi l'origine et le contexte de cette foutue balle ne pouvaient être avoués officiellement.

Lorsque nous pénétrâmes dans le petit salon du deuxième étage, Alain nous attendait déjà. Je n'avais pas voulu anticiper cette rencontre, préférant que nos échanges soient naturels. Je me trouvai face à un homme d'environ 35 ans, qui était calme, parlait d'une voix posée et dont les yeux brillaient de tristesse en me regardant. Il s'excusa d'abord d'avoir plongé dans notre intimité car il avait longuement étudié le blog et nos photos. Puis il m'expliqua qu'en montant à bord, il avait vu une dizaine de balles sortir à la verticale du bateau, traversant le pont. Dans ce contexte, lorsque Florent a voulu lui parler, il a cru à une menace et a tiré. Il dit aussi être resté auprès de Florent après mon départ, ne le quittant que quand les derniers soins furent donnés et son décès annoncé. J'avais du mal à concevoir qu'il ait pu faire une telle erreur en tirant, et le lui dis. Je lui parlai aussi de l'avion espagnol et du peu de cas qu'avait fait Alindien de l'alerte donnée par ma mère. Je savais depuis, de source sûre, que les militaires avaient eu l'occasion d'observer les cinq pirates sur le pont dès le mardi. Du temps en plus aurait certainement permis une opération plus discrète et de ce fait moins risquée.

Je ne sais pas pourquoi mais je lui confiai que Florent n'aurait pas supporté de revenir sans nous, ou l'un de ses coéquipiers, et qu'il n'aurait pas davantage accepté qu'un militaire laisse sa vie pour notre liberté. Aussi dur que cela puisse paraître, je sais que Florent aurait choisi d'être celui qui « allait y rester », si on nous avait annoncé qu'un otage ou un commando devait être tué. Mon Capitaine était un homme honnête, intelligent et responsable. Lorsque je parlai de l'erreur commise par les tireurs d'élite, l'amiral intervint. Il s'était renseigné, le rapport médical d'« Émail Diamant » indiquait qu'il avait bien été touché par deux balles, une dans la poitrine et une dans la tête. Finalement, les tireurs n'avaient manqué que le tir visant Abdi, me dit-il. Je fus étonnée qu'avec tant de blessures « Émail Diamant » ait pu avoir la force de redescendre et de tirer, d'autant que Steven n'avait pas constaté de sang sur son visage. Mais l'amiral m'assura qu'un homme blessé peut être très résistant !

Nous restâmes ainsi deux longues heures à discuter, mais finalement, plus que de parler, nous avions besoin d'être ensemble. Du moins est-ce ce que j'ai ressenti.

Une fois de plus, ce ne fut qu'après coup que j'analysai ce qui avait été dit. Je ne comprenais pas pourquoi l'amiral était revenu sur cette « bavure » des tireurs d'élite. Pourquoi chercher à les dédouaner avec une seconde version qui ne tient pas la route, qui ne corrobore pas les éléments en ma possession ? « Émail Diamant » avait bien reçu une deuxième balle dans la tête, tirée à bord par les commandos ; c'est le tir que Dorian a entendu. Un des pirates, emprisonné depuis, confirmera cette version dans son témoignage.

L'amiral n'aurait-il pas lu le rapport de ces hommes ? Peu probable. Est-ce à ce point compromettant d'avouer que ce pirate, clairement identifié comme un individu agressif lors de la période d'observation, n'a pas été neutralisé du premier coup ?

De lui, que je savais pertinemment informé des opérations et à qui j'avais accordé ma confiance, j'avais osé ésperer plus de clarté. Nous savions tous les deux que plusieurs fautes graves auraient pu et dû être évitées. Sachant que je n'engagerais pas de procédure contre ses hommes, j'aurais souhaité plus de franchise. Du coup, la méfiance qui promettait de se taire en moi s'accentua au contraire. Si chacun cherchait à se retrancher derrière des faits plus ou moins aléatoires, j'allais devoir rester sur mes gardes.

LE 25 JUIN, sans nouvelles des promesses du président de la République, et voyant bien que la procédure judiciaire n'avait pas l'intention de dévoiler clairement les circonstances de la mort de Florent, je fis part à l'amiral Guillaud de ma détermination. C'était trop facile de se retrancher derrière une procédure qui ne concernait pas ma quête de vérité :

« Monsieur l'amiral,

Suite à notre entretien téléphonique de ce jour, je me permets de vous notifier ma demande par écrit.

En effet, M. le président, lors de notre entretien du 3 juin 2009, m'a promis des réponses sous quinze jours. Nous sommes le 24 juin et je n'ai aucune nouvelle de M. Jacob.

Vous m'accusez de tout mélanger, l'émotion, le judiciaire et le cas présent. Sachez que si pour vous tous ces éléments sont à séparer, pour moi ils sont complémentaires.

Le flou et le silence sont incompatibles avec une bonne entente, merci donc de faire le nécessaire pour que le dossier avance, de manière précise et concrète.

Je reste donc dans l'attente, comme vous me l'avez affirmé, d'un entretien téléphonique avec M. Jacob.

Cordialement,

Chloé Lemaçon. »

Ce même jour, je reçus un appel du commandant de police en charge de l'enquête balistique. Il m'expliquait que j'allais pouvoir récupérer nos affaires, du moins ce qu'il en restait. Les scellés étaient maintenus sur le bateau, mais le contenu n'était pas concerné. J'osai une question qui me tourmentait depuis un moment : y avait-il des traces de tirs de l'intérieur vers l'extérieur, autres que celle causée à l'avant par le tir du pirate blessé ? « Non. » Sa réponse résonne encore dans ma tête. J'étais fébrile et entrais à nouveau dans une autre dimension. Lors de mon entretien avec l'amiral et le commando, c'était déjà un point qui m'avait paru curieux : avant toute chose, Alain avait en effet commencé par évoquer une dizaine de tirs venus de l'intérieur et dont il aurait vu les balles traverser le pont.

J'étais nerveuse, mais surtout gagnée par une grande colère. Une fois de plus je constatais que l'on me mentait. Toutefois j'ignorais dans quel but, car ce mensonge était si gros qu'il ne convaincrait personne. Je ne pus m'empêcher de téléphoner immédiatement à l'amiral Gillier ; j'attendais ses explications.

J'étais la première à reconnaître des circonstances atténuantes à ce commando, en revanche je trouvais incorrect de la part de l'amiral de soutenir les propos de son homme, même s'ils correspondaient à ce qui avait été rédigé dans leur rapport de mission. Mes relations avec l'amiral furent parfois un peu compliquées car j'étais sans cesse à l'affût de la moindre information, et aucune contradiction ne m'échappait. Ce jour-là au téléphone, il me dit que le commando avait tiré, non pas parce qu'il avait eu peur pour lui, mais parce qu'il avait craint que Florent pointe une arme vers l'avant, en direction de ses équipiers qui descendaient dans le bateau. Il n'avait pas vu la couleur de la peau, seulement distingué « une silhouette en mouvement dans la pénombre », mais il avait réussi à voir que ses mains étaient dirigées vers l'avant ?

Il avait donc tiré sur une silhouette en mouvement, sans identifier sa cible, mais il avait réussi à viser l'œil. Florent avait dû voir la lumière rouge dans son œil puisqu'il a mis sa main devant – ce qui expliquerait la plaie dans sa main et aussi le « Ooohh ! » que j'ai entendu la seconde précédant sa chute.

Les rapports militaires avaient certainement été rédigés dans l'éventualité d'être lus par les autorités, je comprenais donc que, dans ce sens, l'amiral cherchait à protéger ses hommes. Seulement, il ne pouvait pas me soutenir qu'une dizaine de coups de feu étaient partis de l'intérieur vers l'extérieur, pas à moi qui sais, comme tous ceux qui se trouvaient à bord ce jour-là, que c'est faux.

Une dizaine de coups de feu, en tout et pour tout – frégate, commandos et pirates – furent tirés. L'amiral m'avait confirmé que six balles avaient été tirées de la frégate (une seule touchant sa cible, deux occasionnant des blessures et trois dont j'ignorais encore la destination) et trois du bateau (une dans l'eau pour obliger « le Pêchou » à se jeter à la mer, une pour « Émail Diamant », et la balle prétendument perdue) ; cela ne laisse qu'une seule balle aux pirates. Ce scénario fut confirmé par tous les témoignages. Il est pour le moins étrange que nul d'entre nous n'ait entendu « la dizaine de tirs venus de l'intérieur » et que les enquêteurs n'en aient pas repéré la moindre trace.

À PARTIR DE CE JOUR, l'amiral décida de ne plus me parler, il ne voulait pas entendre l'hypothèse selon laquelle Alain m'aurait menti. Dans un mail daté du 26 juin 2009, il écrit : « Pour ma part, je recherche également la vérité, mais cela ne peut se faire que dans un climat de confiance. Faute de climat permettant un véritable échange, je préfère m'abstenir de ces échanges qui prennent une tournure marquée par la suspicion et les procès d'intention. »

Sans l'amiral désormais, je poursuivais ma quête de vérité. Pouvais-je douter des enjeux stratégiques de l'État ?

Le 6 juillet, je reçus une lettre de l'amiral Guillaud : « Je vous confirme la proposition qui vous a été faite oralement d'un recrutement dans l'administration de votre choix dans le département du Morbihan. [...] Si cette proposition nous agrée, je vous remercie de nous faire part de vos préférences. »

J'étais de plus en plus intimement persuadée que nos discussions à l'Élysée n'avaient servi qu'à me faire taire et à contenir ma colère. Je n'avais pas besoin de ce genre de manœuvres pour garder mon sang-froid, et n'avais jamais eu l'intention de pousser un coup de gueule dans les médias ; ce qui les aurait peut-être arrangés. Ils auraient pu dire : « Voyez, Mme Lemaçon n'est pas du tout sérieuse, son avis n'est pas crédible. » En effet, si j'avais parlé sous le coup de l'émotion, sans mettre les faits à plat, en apportant calmement des précisions et en pointant les incohérences – comme je le fais à présent –, tous en auraient profité pour rappeler que nous étions des irresponsables.

M. Sarkozy n'a malheureusement pas compris que pour moi, pour sa famille et ses amis, l'honneur de Florent vaut plus que l'argent et que je ne céderai pas sur ce point. C'est pourquoi, dans un courrier daté du 6 juillet, je lui écris : « La tournure que prend mon dossier, les contacts et les informations que me donnent M. Guillaud et M. Jacob, contribuent plus à me démoraliser et m'épuiser psychologiquement malgré tous mes efforts pour envisager l'avenir avec Colin. » Je ne reçus pas de réponse ; le président a peut-être pensé que c'était un aveu d'abandon alors qu'il s'agissait, au contraire, de l'affirmation d'une lutte durable et objective.

Faute de réponse, j'eus en revanche « l'agréable » surprise de recevoir une invitation aux cérémonies officielles du 14 Juillet. M. Morin me conviait à la réception donnée à l'Hôtel de Brienne, le 13 juillet, tandis que M. le Président de la République m'invitait au défilé militaire et à la garden party. Inutile de dire que ces deux invitations me laissèrent sans voix. Seulement, j'avais entendu à la télévision que l'amiral Gillier devait intervenir sur France Télévisions après le défilé, pour commenter les événements militaires de l'année. J'ignorais s'il avait prévu de parler de *Tanit*, mais j'étais bien décidée à ne laisser personne évoquer une seconde fois notre histoire, en répétant toutes les bêtises cent fois rapportées. Je décidai donc de m'y rendre et de remettre en main propre, à l'amiral et à M. Morin, des courriers leur expliquant clairement ma position.

LE JOUR VENU, j'assistai au discours du ministre exprimant le mérite de tous les soldats français morts au combat cette année : « Ils sont morts pour la paix et la France est fière d'eux ! » J'attendais le moment opportun pour lui remettre ma lettre. Entre deux poignées de main et quelques sourires aux photographes, je me postai devant lui en le saluant. Il m'évita une première fois avant de revenir vers moi, mon visage lui évoquant sans doute quelque chose. Je lui tendis ma lettre, qu'il confia aussitôt à sa secrétaire. Alors je lui indiquai qu'il était important qu'il la lise ce soir, avant une éventuelle intervention médiatique, sur quoi il me prit gentiment par le bras et m'entraîna loin des objectifs. Comme pour se justifier, il me dit : « Vous avez vu, Madame, j'ai demandé la levée du Secret Défense. » En réalité, il n'avait autorisé la déclassification que de trois documents, dont les photographies déjà abondamment publiées dans la presse. Embarrassé, il répondit qu'il ne savait pas exactement la teneur des documents qu'ils avaient autorisés.

Je ne réussis pas à trouver l'amiral Gillier et demandai donc à la secrétaire du ministre de lui transmettre mon courrier. Je leur disais simplement qu'il serait inapproprié d'évoquer l'histoire de *Tanit*, surtout si c'était pour « réitérer, publiquement, [leurs] doutes sur l'origine et le contexte de la balle qui [avait] tué Florent. » Je leur rappelais qu'une « enquête [était] en cours et [que] les premiers résultats [étaient] concordants avec tous les témoignages (otages et pirates) » ; enfin je leur demandais de ne pas oublier que « Colin et moi [étions] les uniques témoins de ce qui [s'était] passé sur notre lit ce jour-là ».

Je ne sais si mon message a été entendu, mais nul n'a évoqué l'histoire de *Tanit* et je n'ai pas vu l'amiral intervenir à la télévision.

Convaincue qu'il était utile de montrer ma ténacité, je me suis rendue à la garden party de la présidence. La foule, la chaleur, les invités qui se bousculent et toute cette cohue indécente m'ont rapidement incitée à rebrousser chemin.

JE NE SUIS PAS LA SEULE à me battre pour que la vérité soit énoncée, Francis continue de son côté à entretenir des relations avec M. Sarkozy. Le 11 septembre 2009, le président a d'ailleurs répondu favorablement à une demande de rendez-vous.

Sans doute grâce à la manifestation de Francis, mon avocat reçut un courrier provenant du ministère de la Défense, daté du 15 septembre : « Votre cliente ainsi que le fils mineur de M. Florent Lemaçon seront indemnisés de l'ensemble des préjudices subis y compris les frais de remise en état du navire. »

Quand, le 16 octobre, Francis rencontra M. Sarkozy, ce dernier dut être étonné d'entendre à nouveau sa requête : que M. Morin prenne la parole pour faire la vérité sur l'assaut du voilier et la mort de son fils. Ne s'y était-il pas engagé le 11 avril sur Europe1[1] ? L'amiral Guillaud lui avait même dit qu'il connaissait le militaire auteur du tir. Pourquoi alors continuer à se retrancher derrière la justice ?

Devant la détermination de Francis, qui refusait aussi toute discussion financière, M. Sarkozy finit par dire qu'il demanderait au procureur général de Rennes de faire publiquement un point sur l'enquête, comme son statut le lui autorise. Nous serions donc reçus pour en discuter avec lui et M. Morin prendrait la parole suite à ses déclarations. Le président demanda également à M. Billy, adjoint au ministère de la Défense, présent à l'entretien, de contacter Francis au plus vite pour organiser une rencontre avec le ministre. Mais il ne pouvait s'empêcher de répéter à mon beau-père qu'il était tout de même mieux, dans le malheur, d'avoir de l'argent.

Au cours du mois de novembre, sans nouvelle du procureur général, je téléphonai à M. Pavy, procureur de Rennes en charge du dossier « Tanit », pour

1. www.europe1.fr/Societe/Une-balle-francaise-a-tue-le-skipper-du-Tanit

l'informer des propos tenus lors de ce rendez-vous avec le chef de l'État. Je constatai que mes craintes étaient malheureusement fondées et que nous n'étions pas sur la même longueur d'onde. Le procureur ignorait totalement le caractère dérangeant de ses propos et m'expliquait placidement qu'il pouvait bien parler mais que, de toute façon, il garderait la circonstance aggravante du décès de Florent dans le procès des pirates. Seuls les Somaliens étaient, selon lui, responsables.

Le 21 décembre, Francis et moi nous rendîmes chez le procureur général de Rennes, M. de La Gatinais, pour faire le point sur ce qu'il était en mesure de dire. Il se défendit d'emblée de subir la moindre pression de l'État, il assurait son indépendance et nous recevait de son propre chef. D'ailleurs, il s'entretiendrait avec M. Pavy, sans garantir cependant qu'il parlerait. Je m'empressai de lui préciser que je n'avais pas apprécié les propos du procureur et que je préférais qu'il se taise plutôt qu'il tienne ce discours publiquement. Il n'a, à ce jour, pas pris la parole, se justifiant par le manque d'éléments. Comment devrais-je interpréter ses dires ? Dans une démocratie, peut-on douter de l'honnêteté des magistrats ?

DEPUIS LE JOUR DE L'ASSAUT, je n'avais plus aucune prise sur ma vie, j'avais été rattrapée au galop par ce qui, Florent et moi, nous rebutait et nous faisait peur : la politique actuelle, ses méandres et ses intérêts. Je pense qu'à un moment, si l'on refuse de vivre avec des œillères, peu de choix s'offrent à nous :

s'engager politiquement ou partir, créer sa bulle et agir à sa mesure.

Nous avions donc décidé de quitter la France, entre autres parce que nous n'étions pas favorables à la politique conduite par le président élu. Bien sûr, nous prenions des risques, comme les centaines de Français rapatriés tous les ans. Bien sûr, nous concernant, l'assaut constituait plus qu'un rapatriement puisque cette mission de secours avait coûté de l'argent à l'État. Simplement, lors de l'intervention, nul ne nous a demandé notre avis. Personne n'a consulté notre famille pour savoir si nous avions les moyens de réunir la somme nécessaire au paiement d'une rançon. Curieusement, la question avait été posée à la famille Delanne, à l'époque de la prise d'otages du *Carré d'As*, en 2008.

Paradoxalement, alors que nous avions choisi de vivre simplement, guidés par notre bonheur et allant à la rencontre des pays et de leurs peuples, je fus projetée sans avoir rien vu venir dans une bataille médiatique où je risquais fort d'être vouée au silence. J'allais devoir être sur mes gardes.

Il m'a fallu du temps pour démêler le faux du vrai et tirer des conclusions des informations que j'accumulais peu à peu. Mais aujourd'hui, preuves à l'appui, je peux affirmer que, depuis le début, le gouvernement français a donné aux médias de nombreuses indications erronées qui, en conséquence, nous ont fait passer pour des inconscients.

À mon retour, je commençai à regarder, lire, écouter les informations autrement. Selon leur mise en forme, le contexte dans lequel ils sont diffusés, images, sons et commentaires peuvent être reçus de mille manières par l'opinion publique. C'est pourquoi ceux qui se contentent d'un seul « son de cloche » risquent fort de rester mal informés. Je découvrais, avec beaucoup d'amertume, l'effet pernicieux d'une information mal présentée et mal digérée à travers les horreurs que je recevais en guise de commentaires sur le blog de notre voyage.

Je me plongeai donc dans la lecture de tous les articles parus pendant le temps de notre captivité, sans chercher à revenir sur la façon dont la presse avait usé du sensationnel pour vendre du papier, mais en tâchant de comprendre pourquoi l'information avait été traitée ainsi. Ce qui m'intéressait n'était plus la façon, mais les raisons.

Il m'arriva de tomber sur des articles à ce point truffés d'erreurs, que je ne pus qu'en déduire l'incompétence de leurs auteurs, qui n'avaient pas jugé bon de vérifier leurs sources. On entend souvent fustiger l'influence du pouvoir sur certains organes de presse ou sur leurs directions. Cette influence existe certainement. Cependant, j'ai constaté pour ma part que le manque de déontologie de certains journalistes pouvait s'avérer suffisant pour servir la communication du gouvernement.

Pourquoi, après seulement quelques jours de capture, les citoyens français s'étaient-ils mis à nous fustiger sans vergogne ? Simplement parce qu'aux dires de la presse nous étions des marginaux qui rejetaient la société ; en prenant le parti de voyager sur les mers avec un jeune enfant, nous nous étions comportés comme des irresponsables ; enfin, notre inconséquence allait peser sur la bourse du contribuable. La presse elle-même reprenait les propos des politiques, qui n'évoquaient que notre irresponsabilité et notre désobéissance. Cet acharnement n'avait rien d'anodin : si les opérations militaires tournaient mal, nous serions plus facilement désignés par nos concitoyens comme seuls responsables de notre malheur.

Dès le 8 avril, sur France Info[1], M. Morin déclarait ainsi que nous avions été « prévenus à plusieurs reprises », d'abord par les autorités à Djibouti, puis par un hélicoptère, et par le *Floréal* qui nous aurait « totalement déconseillé de nous rendre au Kenya ». C'est Alindien, le 27 mars, qui nous a en réalité conseillé de renoncer au Kenya et de dévier notre route. Ce que nous avons fait illico. Le 10 avril, sur la même radio, le ministre de la Défense tirait les leçons de notre expérience et de l'assaut, son discours s'articulant dans un ordre qui n'avait rien d'anodin : il commençait par présenter ses condoléances à la famille, rendait hommage aux soldats qui avaient risqué leur vie, et concluait par un rappel formel aux citoyens français qui seraient tentés de naviguer vers l'océan Indien.

Cette histoire n'était pas la mienne. Ces faits n'étaient pas ceux que nous avions vécus. C'est pourquoi il me parut nécessaire de rétablir la juste teneur des choses, pour Florent, Colin et moi, pour Steven et Dorian, mais aussi pour les militaires qui ont joué un rôle dans cette opération. Les marins et Capitaines qui entreprennent des tours du monde ont le droit, eux

1. www.france-info.com/chroniques-au-fil-de-l-actu-2009-04-08-nous-recherchons-activement-le-soldat-herve-morin

aussi, de savoir ce qui s'est passé réellement, ce jour-là, dans l'océan Indien.

Les voix des uns et des autres s'étaient engouffrées dans un tel cynisme parce que le gouvernement les y avait implicitement menées. Si les officiels n'avaient pas malmené notre histoire à ce point, en entretenant volontairement un certain flou sur les événements, on peut parier que les réactions auraient été différentes.

Sur l'*Aconit* puis à mon retour en France, Paul-Henri Desgrées du Loû et l'amiral Gillier m'avaient donc demandé de rester discrète sur l'assaut mené. Je comprends et respecte leur requête. Cependant, en croisant les informations que je recueillais, en les comparant avec ce que j'ai vu et vécu, j'arrivais à un déroulé objectif des faits, que l'État français aurait pu présenter à l'opinion publique, telle quelle, sans pour autant compromettre la tactique militaire française :

« À Ismaïlia (23 octobre 2008), à Djibouti (3 mars 2009), à Aden (16 mars 2009) *Tanit* a rencontré plusieurs équipages revenant d'un tour du monde ou en partance pour l'océan Indien. Tous ces bateaux avaient suivi les mêmes consignes de sécurité. Tous sont passés, à l'exception du *Carré d'As*, victime de piraterie (septembre 2008) et de *Tanit*.

« Lors de la prise d'otages, *Tanit* naviguait à 512 milles des côtes somaliennes (940 km) comme les autorités le lui avaient demandé le 17 mars, via le bâtiment militaire le *Floréal*. Le 27 mars, l'équipage avait renoncé à aller au Kenya, obéissant en cela aux recommandations militaires transmises à sa famille par mail le jour même : *Tanit* faisait donc route plein

Sud, vers les Seychelles. Alindien avait également demandé aux occupants du voilier de transmettre quotidiennement leur position, ce qu'ils faisaient par mail, par l'intermédiaire de la mère de Chloé Lemaçon. Le dimanche 5 avril, cette dernière avertit Alindien qu'elle n'avait pas reçu de nouvelles depuis vingt-quatre heures, soit depuis la dernière position qu'elle avait transmise. Le survol de la zone par un avion français fut demandé le lundi en fin de journée, suite à l'annonce dans la presse, par une ONG kenyane, de la prise d'otages de *Tanit*.

« Les frégates déjà en place sur la zone dans le cadre de la mission Atalante sont arrivées près de *Tanit* le mardi 7 au soir mais n'ont initié les échanges avec le bateau que le mercredi 8 en fin d'après-midi. Plusieurs objets de négociations ont été proposés aux pirates, alors même que, n'étant pas les commanditaires de l'opération, ils ne pouvaient prendre l'initiative de négocier.

« M. le président ne donna l'ordre de lancer l'assaut que le vendredi 10 avril, avant la nuit. Les tireurs en place sur la frégate devaient commencer à tirer aussitôt que trois pirates seraient sur le pont. Ceux-là ont été touchés, mais pas neutralisés ; l'un est tombé dans la descente, certainement mort ; le deuxième grièvement touché a réussi à se réfugier dans le carré (projetant de tirer sur les otages situés à l'avant) et n'a été neutralisé qu'au moment où les commandos ont pris d'assaut le bateau ; le troisième a été blessé au pied. Quand les commandos sont montés à bord, il y avait donc un pirate blessé sur le pont, et quatre à l'intérieur, dont un mort. Il n'y eut aucun échange de tir.

Florent, Colin et Chloé Lemaçon se trouvaient seuls dans la cabine arrière ; Florent a été tué par erreur par un commando. Au moment où Florent a voulu lui indiquer la présence de ses coéquipiers à l'avant, celui-là a cru être l'objet d'une menace et a tiré. »

Voilà les faits.

Tout aurait pu être si simplement dit... Or le ministre de la Défense, Hervé Morin, a préféré s'empêtrer dans une description floue des événements. Et s'il a émis la possibilité d'un tir français – je l'appris par la suite mais, en langage ministériel, cela revenait à déclarer que la balle était française –, il a insisté auprès des médias sur la possibilité d'une balle perdue, puis sur « la pénombre »[1] de la cabine qui aurait contribué à l'erreur du tireur qui a tué Florent[2]. La pénombre ? Même en Bretagne sous un ciel plombé, notre cabine était très claire... Mais cela, les spectateurs du 12 avril ne le surent pas.

LE DÉROULEMENT DES FAITS, publié dans deux communiqués sur le site gouvernemental[3], est en effet d'une autre teneur. Le ministère commence par insister sur le fait que « la France a démontré toute sa détermination pour ne pas céder au chantage, tenir

1. www.france-info.com/france-justice-police-2009-04-13-assaut-du-tanit-polemique-autour-du-choix-de-l-unite-d-elite
2. Journal de 20 h de France2, 12 avril 2009.
3. www.defense.gouv.fr/defense
www.defense.gouv.fr/ema

en échec ces actes criminels et libérer [ses] compatriotes chaque fois qu'un bâtiment battant pavillon
français a été arraisonné ». Puis, plutôt que de donner
au public notre dernière position, il préfère écrire que
nous avons été pris en otages « au large du Puntland ».
« Au large du Puntland », voilà qui ne veut rien dire,
surtout pour qui ne connaît pas la zone. Non, *Tanit* se
trouvait au 9°36N et 58°35E, à presque mille kilomètres
des côtes, hors de la zone considérée comme dangereuse par les autorités militaires, et le gouvernement
le savait.

« Le 17 mars 2009, le *Tanit* a croisé la route de la
frégate de surveillance française *Floréal* dans le golfe
d'Aden. Le bâtiment de la Marine qui, dans le cadre
de l'opération Atalante, faisait route vers Al Mukalla,
a accompagné pendant quelques heures le voilier
Tanit auquel il a transmis toutes les consignes de
sécurité et recommandations de navigation. »

« Les jours suivants, la cellule du contrôle naval
d'Alindien, amiral responsable de la zone maritime
de l'océan Indien, est entrée en contact avec les
plaisanciers, réitérant ses recommandations, décon-
seillant au voilier de prendre les routes de navigation
vers le Kenya et rappelant la vulnérabilité d'un voilier. »
« Les jours suivants », encore une formule bien vague.
Disons plutôt que, dès le 18 mars, ma mère était en
contact quotidien avec eux et que, le 27 mars, Alindien
lui a demandé de nous faire renoncer au Kenya. Nous
y avons renoncé le jour-même.

« Nous avons immédiatement, comme pour le *Ponant* et le *Carré d'As*, dépêché les moyens présents sur zone, soit trois frégates : l'*Aconit*, le *Floréal* et le *Commandant Ducuing*. » « Immédiatement », cela signifie, en toute logique, que les frégates étaient en route pour la zone dès le 4 avril. Or elles sont parties le 6 au soir, à la suite de la dépêche d'Ecoterra et d'un premier survol français.

« À partir du 8 avril, nos bâtiments ont été en contact direct avec les pirates et ont engagé des négociations. Étant guidé par la volonté permanente de préserver la sécurité des otages, nous nous étions fixé comme ligne rouge qu'en aucun cas nos compatriotes, au nombre de cinq dont un enfant, ne puissent être débarqués au Puntland. » Le 8 au soir, nos échanges furent brefs. Le contact direct eut lieu à partir du 9, au matin.

« Les instructions du président de la République étaient claires :
– aucun Français ramené à terre car sinon tout Français embarqué pourrait être en situation critique ;
– toutes les chances doivent être données au dialogue, et elles l'ont été. »
Au ministère de la Défense, tout le monde devrait savoir pourtant que les pirates en mer ne régentent aucune négociation. Et puisque les militaires écoutaient les échanges téléphoniques entre les pirates à bord et leurs chefs à terre, pourquoi n'ont-ils pas essayé de dialoguer directement avec les personnes décisionnaires ?

« Le *Tanit* sous voile se rapproche des côtes somaliennes. Pour donner encore du temps aux négociations, la décision est prise d'immobiliser le *bateau*. Les militaires français réalisent un tir de précision sur le mât du voilier et font tomber la voilure. Le *Tanit*, stoppé, dérive. » Pourquoi laisser penser qu'un seul tir aurait suffi ? Sans rentrer dans l'exactitude des chiffres, qui seront confirmés par l'enquête, nous en avons tous entendu une bonne trentaine. Je ne me suis jamais passionnée pour la polémique lancée par M. Prouteau, « père » du GIGN[1], mais en écho à ce tir dit « de précision » et qui nécessita une trentaine de balles, je repense à ses propos : « On privilégie la qualité du tir à la quantité de munitions, ça préserve au maximum les otages[2]. » D'ailleurs, pour justifier le manque de précision des tireurs d'élite, l'armée m'a opposé le caractère mouvant d'un bateau sur l'eau. Mais n'est-ce pas un des éléments que des militaires spécialisés dans le milieu marin doivent maîtriser ?

« Cette action a permis d'ouvrir une nouvelle phase de négociations. » Ou plutôt fermé. À l'issue du tir dans les voiles, les pirates se sentirent agressés, cernés, et commencèrent à nous menacer d'exécution, ou de faire sauter *Tanit*. Et lorsque deux de nos geôliers s'affichèrent sur le pont, montrant clairement aux forces françaises qu'ils rendaient leurs armes, personne ne vint les chercher.

1. Groupe d'intervention de la gendarmerie nationale.
2. France Info, 13 avril 2009.

« Au cours de ces quarante-huit heures, nous avons fait aux pirates toutes les propositions possibles pour qu'ils nous rendent nos compatriotes sains et saufs jusqu'à l'échange de la mère et de l'enfant contre un officier, ce qui a été refusé. » Quoi d'étonnant ? Quel preneur d'otages serait suffisamment naïf pour remplacer une femme et une enfant par un militaire surentraîné ? Qui penserait réellement, avec trois frégates, autour de lui, qu'on le laisserait partir impunément en lui fournissant embarcation et argent ? Et puis tous les pirates somaliens avaient entendu parler de la manière dont l'armée française était intervenue dans l'affaire du *Ponant*. Après le versement de la rançon, une opération de vive force fut menée à terre au cours de laquelle on intercepta des Somaliens qui avaient participé, de près ou de loin, à l'attaque du navire. Selon Christophe Boltanski[1], journaliste au *Nouvel Observateur*, certains des complices, emprisonnés en France suite à cet assaut, auraient eu la malchance d'être au mauvais endroit au mauvais moment. Tandis que les chefs pouvaient continuer, sans être inquiétés, à monter de nouvelles opérations. Même scénario pour le *Carré d'As* : les hommes arrêtés suite à la capture du bateau n'étaient pas tous en mer lors de la prise d'otages et ils étaient encore moins les chefs. Il n'y avait donc aucune raison du point de vue des pirates de *Tanit*, de laisser aller leurs prisonniers.

1. *Le Nouvel Observateur*, 13 juillet 2009.

« Dans le même temps, les écoutes montraient un durcissement de la position des pirates qui évoquaient de manière plus insistante l'exécution des otages et la destruction par explosifs du bateau, et leur volonté inflexible de se rapprocher de la côte. » Et pour cause, c'était bien leur seul moyen de pression sur les autorités françaises. Pourquoi, alors, les militaires ont-ils insisté, négocié, menacé ? Cela n'a servi qu'à nous mettre, nous otages, en danger[1].

« Les pirates continuent de refuser toute transaction. Le courant rapproche le *Tanit* des côtes somaliennes, desquelles il sera bientôt à moins de trente kilomètres, ouvrant la possibilité pour les pirates de débarquer les otages, en bénéficiant éventuellement de renforts venus de terre. Suivant les instructions du président de la République, l'ordre est donné de reprendre le *Tanit* avant la nuit. » Personne, jamais, ne nous a demandé notre avis. Pourquoi un président aurait-il le droit de risquer la vie des citoyens lorsqu'il s'agit d'affirmer la suprématie de son État ? Peut-être aurions-nous pu nous exprimer ? Ma mère a répété qu'il ne fallait pas mener l'assaut de jour, mais le COS n'a jamais contacté notre famille. Nous voulions être libres, décider de notre avenir sans rien demander à personne. On nous a

1. Cela me fait penser aux horribles mois que vécurent les otages du Liban, retenus de 1985 à 1988. La situation ne s'est-elle pas éternisée à l'époque parce que le gouvernement ne voulait pas céder sur certaines positions politiques ? Ces journalistes ne se sont-ils pas retrouvés dans l'étau de discussions diplomatiques interminables ? Que valait leur vie durant leurs mois de captivité face aux enjeux du pouvoir ?

transformés en irresponsables, plutôt que de nous laisser assumer nos responsabilités, justement.

« Deux pirates sont tués, les trois autres, dont deux blessés sont capturés, ils seront remis à la justice française. » Un seul des pirates fut blessé, mais ce n'est qu'une erreur parmi d'autres.

« Je réitère de la manière la plus nette et la plus ferme ma mise en garde à tous nos compatriotes qui auraient en tête de s'aventurer dans cette zone de l'océan Indien, et leur demande expressément d'y renoncer. »
« Le président de la République l'a dit, le gouvernement le rappelle par ma voix : la France ne cédera jamais au chantage du terrorisme comme de la piraterie. »

Puis, le 11 avril 2009, ce fut au tour de M. Georgelin, chef d'état-major des Armées, de déclarer : « Nous avons proposé au président de la République le scénario suivant : dès lors qu'il y aurait sur le pont du *Tanit* trois pirates visibles, nous les neutraliserions et simultanément, nous enverrions un élément d'assaut qui en moins de trente secondes pouvait investir *Tanit*. C'est ce que nous avons fait.[1] » Nous étions les prisonniers des pirates depuis le samedi, trois frégates étaient sur zone à partir du mardi soir et je sais que ce soir-là cinq Africains et un Européen ont été observés sur le pont. Lorsque M. Georgelin pré-

1. www.france-info.com/monde-afrique-2009-04-11-pirates-en-somalie-un-otage-francais-tue-au-cours-de-l-assaut

cise : « Dès lors qu'il y aurait sur le pont... », il faut entendre : à partir de vendredi 15 h 30. Puisque la position du président semblait claire dès le départ (« aucun otage à terre »), pourquoi ne pas avoir continué une observation à distance ? Pourquoi ne pas avoir préservé l'atmosphère à bord ? Car ce sont les forces armées qui ont fait monter la tension. De même, M. Morin a tort lorsqu'il parle d'« extrême urgence » et de « détention particulièrement violente », expliquant que c'est ce qui a justement motivé l'assaut : la violence ne s'est fait jour qu'avec l'approche des frégates sur zone.

Le 11 avril, dans une dépêche AFP filmée, M. Morin enfonça le clou : « Nous avons proposé bien entendu la totalité de ce que nous pouvions proposer, c'est-à-dire à la fois leur permettre de pouvoir rejoindre le sol avec un bateau. Nous leur avons même proposé une rançon et toutes ces choses ont été en permanence et constamment refusées.[1] »

Rappeler à plusieurs reprises tout ce que la France a proposé ne fit qu'accentuer l'idée selon laquelle notre libération avait coûté très cher au pays. Mais, objectivement, est-il sérieux de penser que de telles négociations puissent aboutir en si peu de temps ? A-t-on déjà vu une telle agressivité dans une libération d'otages, une opération efficace montée si rapidement ?

Sur Europe 1, le même jour, le ministre insistait sur le fait qu'ils avaient « tout mis en œuvre pour assurer la sécurité des otages » et que « l'état-major avait proposé la solution la plus faisable ». Je le répète, dans quel but ?

---

1. www.videos.leparisien.fr/video

Car la solution la plus faisable et la moins coûteuse était bien de nous laisser aller à terre. Cela aurait aussi pu être la solution la moins dangereuse pour nos vies.

Le 13 avril, il dit encore : « Nous avons en permanence pensé à la sécurité de nos compatriotes, nous l'avons fait pendant les deux jours de négociations[1] » ; sur Europe 1, il eut l'audace d'ajouter : « On ne peut pas exclure que, pendant l'échange de tirs entre les pirates et nos commandos, le tir soit français. Il faut qu'on analyse les hypothèses et après, on le dira.[2] » Tout d'abord, M. Morin devait très bien savoir qu'il n'y a pas eu d'échanges de tirs : n'est-il pas le ministre des Armées ? Je pense enfin que notre ministre n'est pas très efficace : depuis un an qu'il analyse les hypothèses, on ne l'a toujours pas entendu prendre la parole.

CETTE PROMESSE formulée à la radio, il l'avait pourtant aussi engagée auprès de Francis. Son silence depuis avril, et ce malgré ses nombreuses venues à Vannes et nos sollicitations, me laisse penser qu'il ne tiendra pas sa parole et qu'il continuera à se protéger avec une « pseudo-procédure » en cours. D'ailleurs, il est intéressant de voir comment le ministère de la Défense se dédouane de répondre au juge d'instruction. Tout le monde sait que sans la balle, nul n'a de preuve ; la seule alternative serait donc que le ministère de la Défense avoue la respon-

1. www.france-info.com/france-justice-police-2009-04-13-assaut-du-tanit-polemique-autour-du-choix-de-l-unite-d-elite
2. www.europe1.fr/societe/une-balle-francaise-a-tue-le-skipper-du-Tanit

sabilité de l'armée dans un courrier que l'on joindrait à l'instruction. Bien que les documents levés par le Secret Défense ne laissent aucun doute sur l'origine du tir, et malgré la concordance de tous les témoignages, l'Armée répond à la Justice que c'est à elle de faire son travail et d'en apporter les preuves. Puis-je douter de leur honnêteté, sachant que *Tanit* est restée plusieurs jours dans les mains des militaires ?

L'amiral Guillaud déclara dans une intervention filmée[1] (la légende indique qu'il s'agit de M. Georgelin, mais c'est en fait l'amiral Guillaud) que « la vie de l'enfant et de la mère étaient à protéger à tout prix ». Quand un journaliste lui a demandé : « Et le père ? », il acquiesça à bas mots.

Ces propos retinrent tout particulièrement mon attention, tout comme ceux de M. Morin, et je replongeai instantanément dans le chaos et la peur qui régnaient sur le voilier ce jour-là, jeudi 9 avril, quand les tireurs ont fait tomber la voile[2]. Je reviens brièvement sur les faits.

Les frégates étaient visibles près de *Tanit* depuis la veille, ce qui bien sûr contribua largement à tendre l'atmosphère à bord. Puisque nous savions que l'observation avait commencé le mardi et que les pirates étaient sur écoute, il n'était pas difficile d'en déduire que le commandant des opérations avait clairement identifié Jaama et « Émail Diamant » comme

1. www.dailymotion.com/video/x8y57y_tanit-les-pirates-refusent-la-ranco_news
2. Je pense à ce propos qu'il était utopique, même si je ne fais pas partie de l'élite militaire française, de penser qu'un bateau à

étant les chefs à bord. Jusqu'au jeudi soir, ces derniers étaient en effet les seuls à téléphoner à terre, ou à parler à la VHF avec les militaires. Pourquoi décider alors d'effectuer ces tirs, extrêmement agressifs quoi qu'ils en disent, sachant que « la femme et l'enfant » étaient à l'intérieur avec l'un des deux pirates les plus menaçants et les plus déterminés ? Les tirs ne durèrent que quelques minutes, mais cela me conduit à penser que la décision présidentielle d'intervenir fut prise sans que nos vies soient réellement un obstacle.

Extrait d'une interview de l'amiral Marin Gillier donnée au *Télégramme* le 5 mai 2009 :

« Un otage français a été mortellement blessé. Considérez-vous cette mission comme un échec ? Pouvez-vous donner quelques précisions sur le déroulement de l'opération ?

– Je ne vous dirai pas les consignes qui ont été données aux forces spéciales pendant l'intervention, pour que, la prochaine fois, celui qui mènera la mission puisse conserver sa pleine capacité d'action. Il ne faut pas que l'adversaire en sache trop sur nos méthodes. En revanche, pour nous, la mort d'un otage et aussi celle d'un preneur d'otages ont été vécues comme un drame qui fait profondément souffrir toute l'équipe. Nous avions des priorités : sauver la vie des otages ; ramener nos équipages en vie et capturer les pirates vivants. C'est dans notre culture, et c'est d'ailleurs une

---

quille longue pesant 15 tonnes, poussé par un courant d'environ 8 nœuds, serait réellement ralenti sans ses voiles, qui battaient dans un vent quasi nul.

particularité française, de respecter les vies humaines sans porter de jugement sur la personne, jusqu'à prendre des risques pour la vie de nos hommes.[1] »

Je ne remets pas en cause l'idée que la mort de Florent puisse être vécue comme un drame par les commandos, mais si je ne crois pas que notre vie était « la première priorité », je ne pense pas non plus que la troisième était de « capturer les pirates vivants ». L'amiral Gillier a montré qu'il était plutôt honnête avec sa pensée, mais je ne crois pas qu'il puisse faire de généralités, car il a été un des seuls à ne pas porter de jugement sur nous.

AU-DELÀ d'une communication mal ficelée, le gouvernement a les moyens de sélectionner au préalable les images dans lesquelles les journalistes feront leur choix pour la couverture des magazines, pour faire pencher l'opinion publique en sa faveur. Le président m'avait parlé, au sujet des photos militaires qu'il avait livrées à la presse, de « quelques clichés ». Néanmoins, le site internet du *Journal du Dimanche* offrait à ses lecteurs un diaporama spécial de 16 photos sur notre libération (plus disponible actuellement) : le gouvernement avait commencé par affirmer dans la presse que nous n'avions suivi aucune des consignes données, qu'il était impensable que nous soyons allés là-bas avec un jeune enfant, puis avait fait circuler les images de notre détresse...

1. www.letelegramme.com/ig/generales/regions/bretagne/marin-gillier-visceralement-commando

Pourquoi, au moment de la prise d'otages et de l'assaut, ne pas avoir pris l'initiative de fermer notre blog si ce n'est pour avoir la certitude que le visage de Colin soit reproduit partout dans la presse internationale ? Et que penser des propos tenus à ma famille selon lesquels nous étions encore plus en danger parce que Colin et moi sommes des blonds aux yeux bleus (thèse à laquelle je ne crois pas, du reste) ? En revanche, laisser nos portraits circuler à outrance permettait aux personnes concernées par notre prise d'otages en Somalie, et aux autres, de suivre le fil de l'actualité, ce qui amplifiait la pression à terre et justifiait aux yeux de tous un assaut pour dénouer la situation. Je ne peux pas croire qu'un service aussi bien organisé que la cellule de crise du Quai d'Orsay n'ait pas songé, comme d'habitude dans les prises d'otages, à rester le plus discret possible.

L'amiral Marin Gillier, dans un mail qui m'était adressé, en date du 28 avril 2009, écrivait :

« Je ne comprends pas plus que vous l'intérêt de montrer pareils clichés. Je trouve cela dramatique pour vous autant que pour mes hommes. Mon souci est double : vous éviter une pression inutile et protéger nos modes d'action. »

Dès le début on nous avait laissés entendre que ces images avaient été publiées comme faire-valoir à l'action présidentielle. Et M. Sarkozy me l'avait expliqué ainsi, le 23 avril 2009, quand je lui demandai pourquoi ces photos avaient été données à la presse : « Vous comprenez, Madame, que compte tenu de tous les propos négatifs qui ont été tenus à votre sujet, elles étaient nécessaires pour montrer à la France que vous aviez besoin d'être sauvés. »

Bien que le président m'ait assuré que ces photos ne pourraient être utilisées à long terme et hors actualité, il semblerait que des agences de presse, comme Reuters, continuent, aujourd'hui encore, à les distribuer.

La plupart du temps, dans le cas de prises d'otages, le gouvernement s'organise pour que la presse reste discrète, et ce pour protéger les victimes, bien sûr, mais aussi pour ne pas compromettre une éventuelle intervention militaire. L'information est contrôlée par le gouvernement ; et dans un cas comme celui-là, il a le pouvoir de choisir ce qui sera divulgué ou pas. Et en effet, qui cherche des informations en temps réel sur les otages retenus en Somalie, comme les humanitaires d'Action contre la Faim (libérés depuis) ou l'agent de la DGSE, ne trouve rien. L'information est bridée volontairement pour protéger les otages.

Les entretiens privés avec le président ne me mettaient pas mal à l'aise, mais j'en ressortais chaque fois bouleversée à cause des propos qu'on m'y tenait ; et ce n'est toujours qu'après coup que je prenais la réelle mesure de ce que l'on m'y avait dit. Toutefois, les premiers à nous avoir considérés comme des irresponsables et décrédibilisés auprès de l'opinion sont justement les hommes du gouvernement, M. Morin, l'amiral Georgelin... et même Mme Bachelot, ministre de la Santé[1].

1. « C dans l'air », France 5, 14 avril 2009.

À LA SUITE de la chronique de Didier François sur Europe 1, le 4 mai 2009, dans laquelle il mentionna « le tir dans les voiles » ainsi que « l'usage d'un haut-parleur », je reçus un appel de l'amiral Gillier. Il semblait contrarié et souhaitait m'entretenir de la confiance qu'il me portait. Je fus bien désolée de sa réaction, mais ne comprenais pas pourquoi il pensait que j'en étais à l'origine.

Je lui fis remarquer que je n'avais aucun intérêt à m'étendre sur les détails de l'assaut et que si j'avais alimenté cette chronique, elle aurait été bien moins hypothétique et informelle. Enfin, le gouvernement pouvait y être pour quelque chose et il aurait été correct qu'il se renseignât d'abord de ce côté-là. Cette conversation m'alerta sur les rivalités internes entre politiques et militaires, les uns ne parlant pas toujours aux autres.

Pour mémoire, je lui rappelai aussi le contenu du communiqué officiel du ministère de la Défense. Si l'amiral était inquiet, c'est pour la sécurité de ses hommes, ce que j'ai toujours tenté de respecter au mieux. Toutes les informations sur lesquelles les militaires nous ont sommés de rester discrets ont été divulguées par leur propre ministre.

Le jour même, je téléphonai à l'amiral Guillaud à l'Élysée. Je voulais connaître son opinion sur l'origine de ce rebond médiatique. Il soutint avec une certaine assurance que c'était mon avocat, à coup sûr, qui avait divulgué des informations, ou peut-être une de ses secrétaires. Sans plus de bienséance que nécessaire, je rétorquai que j'avais entièrement confiance en mon défenseur, insistant lourdement sur « l'énigme » de la source.

L'amiral tint alors un discours sur la confiance, disant que s'il posait une question fâcheuse, comme celle-ci, à un avocat, celui-ci ne saurait lui répondre sans cligner des yeux. Que s'il posait la question à un policier, ce dernier ne saurait lui répondre sans cligner des yeux. Et qu'il en serait de même avec un militaire. Ce à quoi je répondis : « Mais amiral, je suis certaine que si j'étais en face de vous pour vous poser la question, vous ne sauriez me répondre sans cligner des yeux. »

La discussion fut plus ou moins habilement réorientée.

Ce matin-là, la chronique d'Europe 1 m'avait choquée, écœurée, définitivement fâchée avec les médias qui recherchent le sensationnel à tout prix, au détriment de l'information.

Un mois plus tôt, nous nous confrontions à cinq hommes somaliens sur l'océan Indien et aujourd'hui, je devais encore me battre contre d'autres pirates. Mais il me fallut être endurante pour faire face à la deuxième catégorie de journalistes après « les charognards », tous ceux qui ont essayé, des mois durant, de glisser l'histoire de *Tanit* dans leur reportage ou leur émission, pour apporter un point de vue sur la piraterie. Je me refusais à parler depuis le début car je voulais contrôler ma parole, ne pas être victime du montage ou des imprévus d'un direct. Je ne dis pas que tous les journalistes qui m'ont contactée sont incompétents, loin de là ; mais la plupart sont tenus par leur rédaction à ne pas évoquer certains faits. Je voulais être la plus objective possible même si cela reste difficile.

Nous avions fait la une de la presse pendant quelques jours en avril avec les photos de l'armée. En juillet je devais à nouveau accepter que l'on serve d'illustration[1] aux articles relatant le projet de loi de M. Kouchner[2]. Excédée, j'écrivais à Christophe, le 24 juillet : « Mon avocat a bien du mal à se battre contre toutes les photos publiées, surtout sur internet. Le projet de loi de M. Kouchner fait couler beaucoup d'encre, et je trouve inadmissible que chacun de ces articles soit illustré par des photos de *Tanit*. Il était question d'une utilisation "flash" !

Nous étions à 500 milles des côtes, je me répète, mais donc les photos de l'armée ne peuvent pas illustrer les articles parlant de cette loi. À moins que l'océan Indien soit déclaré Zone de guerre...

Peut-être avez-vous quelques connaissances qui pourraient m'aider à voir disparaître ces photos. Ils n'ont qu'à mettre des photos d'Ingrid Betancourt. »

Quand un ami me prévint que ces images étaient exposées dans un diaporama géant au Festival de photo de mer, à Vannes, au mois de septembre, je crus à une blague. Allions-nous devoir supporter cela encore longtemps ?

M. Goulard, maire de Vannes, nous assura à l'époque qu'il n'aurait jamais autorisé que ces clichés

1. www.lemonde.fr/societe/article/2009/07/23/les-touristes-en-zone-de-guerre-devront-rembourser-les-secours
2. Loi proposée le 22 juillet 2009, afin d'obliger les Français à rembourser les frais de secours.

soient exposés s'il l'avait su. Devais-je en déduire qu'il n'était pas allé à l'exposition ?

Enfin, en décembre 2009, en feuilletant un magazine publicitaire de grande enseigne, j'eus la désagréable surprise de nous voir, Florent, Colin et moi en gros plan, sur la couverture d'un livre annoncé. Il s'agissait d'une photographie de l'armée sur laquelle nous étions mis en joue par les pirates somaliens.

Je demandai immédiatement à mon avocat et à l'Élysée d'intervenir, et j'écrivais, le 18 décembre, à M. Guillaud : « Je vous remercie de vous être occupé de ce problème [Je leur avais demandé d'intervenir auprès de l'éditeur]. Seulement, je souhaiterais que vous interveniez directement auprès de l'AFP et de Reuters afin qu'ils appliquent les promesses de M. le Président, c'est-à-dire que ces photos cessent de circuler. »

Je me renseignai aussi sur l'auteur afin de savoir quel genre de journaliste pouvait vouloir à ce point user de sensationnel. J'appris que Patrick Forestier était grand reporter à *Paris Match* depuis 1979 et qu'il avait réalisé des reportages pour TF1 et M6. Je me procurai le livre à sa parution. L'auteur y promettait de révéler les secrets des opérations spéciales et j'avais voulu me consoler, me disant qu'un contact bien renseigné l'avait sûrement aidé, ce qui me permettrait peut-être d'apprendre encore des choses sur les pirates, les commandos et la Somalie.

Le chapitre relatif à *Tanit* s'étale sur dix-sept pages, dont un tiers du texte est une reprise, précisée ou non, de notre blog. Je pense toutefois, vu les erreurs énoncées dans cet ouvrage, qu'il ne l'a jamais vraiment lu et qu'il ne connaît pas si bien la région pour le « spécialiste » qu'il est. En effet, il écrit : « Le 20 mars, à l'entrée du détroit de Bal-el-Mandeb, qui marque l'entrée dans l'océan Indien, le *Floréal* abandonne *Tanit* à son sort. » Le 20 mars, nous arrivions en réalité à Al Mukalla, au Yémen. Le détroit était bien loin puisque nous l'avions passé avant d'arriver à Djibouti ; Bab-el Mandeb marque en fait l'entrée du golfe d'Aden. Il n'a donc pas trouvé étrange que nous croisions le *Floréal* dans le golfe d'Aden, qu'il nous escorte trois jours avant de nous lâcher à l'opposé de notre destination !

Après avoir achevé ma lecture, je fus stupéfaite de voir l'angle sous lequel il abordait les événements. Sachant qu'il n'avait pas non plus contacté Jean-Yves Delanne, je me renseignai sur ses rapports avec l'armée et appris qu'il n'entretenait aucune collaboration solide.

Alors, comment peut-on, en tant que « grand reporter », publier un « document d'investigation » sans interroger les principaux protagonistes ? De fait, M. Forestier ne m'a jamais contactée, n'a pas rencontré mes équipiers, ni mon avocat, ni l'avocat des pirates. Il n'a pas eu accès aux informations officielles puisque, comme il le précise à Jacques Pradel, au cours d'une émission de promotion : « Il y a une enquête en cours ».

Dans son livre, M. Forestier parle de quatorze pirates qui auraient participé à l'abordage ; ses inexactitudes sont nombreuses. Comment a-t-il pu reprendre cette erreur communiquée le lundi 6 avril par Ecoterra, si ses sources proviennent de l'état-major ? Mon souci étant de savoir aussi si je peux me fier à ce qui est écrit dans les autres chapitres...

L'auteur promettait donc de dévoiler les secrets les mieux gardés en n'ayant effectué aucun travail d'investigation, ni rencontré aucun protagoniste ? Ce livre est-il une enquête journalistique au service de l'information ou bien aurait-il eu une autre intention ? Car, après tout, les seules informations que l'auteur a en sa possession sont des rapports succincts donnés par l'état-major ou des bruits de couloir qu'il a pu consigner.

Pirates et Commandos, les secrets des opérations spéciales est une parfaite illustration de ce que peut donner l'exercice « d'informer » par certains journalistes.

Ne reculant manifestement devant rien, M. Forestier vint dédicacer son livre, le 20 février 2010, dans une grande librairie vannetaise. Voyant cela, je décidai d'informer la presse locale de mon avis sur le contenu de son enquête, espérant qu'ils relèveraient le manque de professionnalisme de leur confrère. Au lieu de cela, ils alimentèrent une polémique inutile : ce journaliste était-il légitime à parler de notre histoire ? Là n'était pas le problème même si l'auteur, en mal de ventes, aurait peut-être aimé qu'une polémique survienne autour de son bouquin.

Cet épisode fut l'occasion de constater que le pouvoir n'est jamais bien loin des médias. M. Forestier était accompagné à la dédicace par son éditeur, Patrick Mahé. Ce journaliste reconverti dans l'édition fut chef des services de rédaction de *Paris Match* entre 1981 et 1984, rédacteur en chef adjoint jusqu'en 1990, puis rédacteur en chef jusqu'en 1996. Parmi ses autres nombreuses activités, il était aussi inscrit sur

la liste (UMP) de M. Goulard aux élections munici-
pales de 2008.

Ainsi, sans remettre en cause l'honnêteté du maire
de Vannes, je note que certains de ses collaborateurs
se disant très proches de Vannes et de ses habitants
sont peut-être moins en accord avec leurs idées politiques dans leur travail. Puis-je douter des intentions
réelles des Editions du Rocher lorsqu'elles voulurent
exhiber notre souffrance en couverture de ce livre ?
Ils avaient spécialement choisi la photo où j'implore
les militaires pour qu'ils partent, celle dont j'avais
parlé au président... il l'avait fait recadrer plein pot
sur mon visage.

UN JOUR, Christophe, avec qui je restais en lien, me
demanda quelle aurait été ma réaction si l'on m'avait
dit toute la vérité dès le départ, en m'expliquant qu'il
fallait officiellement livrer une autre version. J'y ai
réfléchi longuement. Si notre histoire n'avait pas été
transformée à tort et à travers par les officiels, et du
coup par la presse, j'aurais peut-être accepté quelques
concessions, dans l'unique intérêt des hommes sur le
terrain.

Or, aujourd'hui, j'ai conscience que cette version
confuse n'a pas servi à protéger les commandos, mais
bien les politiques. L'Élysée n'aime pas communiquer sur ses erreurs, surtout si elles sont militaires.
Aucune chaîne de télévision ni autre média grand
public n'a relaté, par exemple, l'échec de la DGSE[1], le
30 novembre 2008, en Somalie. Nicolas Beau et Éric

1. Direction générale de la sécurité extérieure.

Laffitte, journalistes à *Bakchich Info*, révélèrent que des nageurs de combat et des commandos d'élite auraient tenté de libérer par la force les otages du *Yénégoa Océan*, un navire battant pavillon panaméen, un équipage nigérian. Seulement, les militaires pris pour cibles, durent abandonner leur matériel sur place et revinrent avec un blessé parmi leur effectif[1]. L'information a été peu relayée mais un document[2] du ministère de la Défense confirme néanmoins la présence sur zone de *L'Alizé*, le bateau de la DGSE, au moment des faits.

L'opération de libération de *Tanit* n'est donc pas le premier échec des services spéciaux français, et de la lutte anti-piraterie, la France ne sort pas toujours gagnante.

Malheureusement, j'ai l'intime conviction qu'on a essayé de me mener en bateau, de faire traîner l'histoire pour que l'opinion n'en retienne, quoi qu'il arrive, que l'hypothèse de la balle perdue. La vérité n'était pas favorable à l'image politique de M. Sarkozy.

En aucun cas il n'est question de chercher à dénoncer un coupable, je connais la vérité ; les erreurs et les malchances se sont multipliées contre nous.

Je demande seulement que l'honneur de Florent soit rétabli comme il le mérite.

1. www.bakchich.info/article 6383.html
2. www.defense.gouv.fr/ema/operations_extérieures/piraterie/brèves/28_11_08_golfe_d_aden_mission_d_accompagnement_des_navires_de_commerce_par_la_frégate_nivose

Misère en Somalie

Je ne suis pas une analyste politique, économique ou sociale, mais une citoyenne française, qui s'est intéressée à la Somalie, quasi frénétiquement, parce que j'ai eu à côtoyer des pirates somaliens, plusieurs jours durant, sur notre voilier.

La rencontre avec ces hommes m'a bouleversée, et pas seulement à cause de son issue dramatique. Si Florent et moi étions revenus ensemble de notre voyage, l'expérience nous aurait marqués tout aussi intensément ; elle nous aurait conféré ce même regard nouveau que je porte aujourd'hui sur ce pays, et sur son peuple. À mon retour, j'ai eu envie de dénoncer la misère dans laquelle vivent les Somaliens aujourd'hui, de les aider, de faire quelque chose... Ma lutte n'est qu'un petit caillou jeté dans la mare et malheureusement, la Somalie est loin d'être un cas unique dans le monde.

Avant notre départ, lorsque Florent et moi évoquions la Somalie, nous avions déjà conscience que si la piraterie était un crime, elle constituait avant tout un moyen de survie pour ceux qui la pratiquent, une façon d'émerger du chaos dans lequel baigne le

pays depuis plus de vingt ans. Nous avions envisagé l'éventualité d'une prise d'otages, tout comme
nous avions envisagé celle d'un naufrage. Le risque
ne nous était pas étranger, mais si nous y étions
confrontés, nous voulions y réagir, quoi qu'il arrive,
en pacifistes, et sans armes. Jusqu'au 17 mars, où
notre route croisa celle du *Floréal*, nous avions volontairement évité d'entrer en contact avec les autorités
militaires françaises. Jamais, donc, nous n'aurions
imaginé une confrontation en pleine mer.

La question du danger nous avait fait longuement
réfléchir, mais la menace ne nous paraissait pas
tellement moindre sur les routes, dans nos vies quotidiennes, que sur l'océan Indien. Jouions-nous plus
notre vie là-bas, à la merci d'éventuels pirates, que
ces Français qui conduisent leurs enfants à l'école le
matin, prenant soin d'attacher leurs ceintures de
sécurité, respectant le codé de la route, et voyant leur
vie fauchée en plein vol parce qu'un chauffard a grillé
un feu rouge ? Rien n'est moins sûr. Comme tout
conducteur confronté aux campagnes de sécurité rou-
tière, nous avions visionné des vidéos sur la Somalie,
sur les pirates, nous avions évalué les risques, anticipé
le comportement à adopter en cas d'attaque, pour ne
pas perdre notre sang-froid. Cependant, comme tout
un chacun, nous ne pouvions rien contre le hasard et
l'histoire.

LA SOMALIE est un pays en guerre, et comme pour
beaucoup d'États africains, les conflits sont liés à
l'histoire coloniale du XXᵉ siècle, et aux déchirements
tribaux auxquels elle a donné lieu. Les Somalis, qui

peuplent une grande partie de la Corne de l'Afrique, sont en effet divisés en trois grands groupes[1] – les Darod, les Irir et les Saab, eux-mêmes répartis en tribus, clans et sous-clans. À l'époque de la colonisation, ces groupes se répartissaient sur cinq territoires, qui étaient autant de colonies. Lorsque, en 1960, le Somaliland et la Somalia devinrent indépendants et choisirent de s'unir pour former la République de Somalie, l'État naissant fut immédiatement mis à mal par le tribalisme et un contexte international propre à la multiplication des conflits régionaux. En 1969, quand le deuxième président de la Somalie Abdirashid Ali Shermarke fut assassiné, le général Syad Barre, chef de l'armée, accéda au pouvoir. C'était un Darod de la tribu Meheran, qui affirmait vouloir réunir les Somalis dans un seul et même grand État – l'étoile à cinq branches du drapeau désignant d'ailleurs cette volonté de rassemblement. Il voulait reprendre les terres et les peuples laissés à l'Éthiopie suite à la colonisation. En 1970, il déclara le socialisme scientifique doctrine d'État et prit parti pour le bloc soviétique. Il décida aussi de nationaliser la plupart des secteurs économiques modernes du pays. Depuis la sécheresse de 1974 et 1975, le pays subissait la famine et le général avait bien du mal à réduire l'influence des clans. Malgré le traité de coopération somalo-soviétique signé en 1974, l'URSS continuait à armer l'Éthiopie, ce qui poussa Syad Barre à mener la guerre de l'Ogaden grâce à l'armement fourni par ces mêmes Soviétiques. Malgré une première victoire

1. *Histoire de l'Afrique*, Bernard Lugan, Ellipses, 2009.

contre l'armée éthiopienne, en 1977, Barre fut abandonné par l'URSS qui vit dans l'Éthiopie un allié plus fiable et plus à même, ainsi, de garantir son implantation dans la région. En 1978, la défaite somalienne face aux forces éthiopiennes ne se fit donc pas attendre, jetant aux oubliettes l'idée d'une Grande Somalie et exacerbant les guerres claniques internes au pays. Là-dessus, le FMI exigea la mise en œuvre d'une politique d'austérité à l'égard de l'État de Syad Barre, entraînant l'essor d'une famine qui, déjà bien présente, fit redoubler les conflits tribaux solidement ancrés. En janvier 1991, un événement vint encore bouleverser le chaos ambiant : Syad Barre fut renversé par les rebelles du général Mohammed Farah Aidid, allié d'Ali Mahdi Mohammed. Ce dernier devint le nouveau président. Tous deux étaient de la même tribu, les Hawiye, mais faisaient partie de deux clans distincts. Le pays se transforma alors en terrain de bataille entre ces deux clans devenus rivaux, qui procédèrent à un pillage généralisé des infrastructures et des vivres. La famine que l'on connaît et qui, ironie cruelle, fit connaître la Somalie des médias internationaux, continuait à se propager. En 1992, rivières et lacs étaient quasiment asséchés. La situation fut aggravée par la guerre civile, qui détruisit également les récoltes et perturba les voies de communication – rendant difficile l'approvisionnement alimentaire des populations et poussant ces dernières vers les côtes.

En 1992, les Américains lancèrent l'opération « Restore Hope », soutenus entre autres par l'Italie et la Légion étrangère française. Ils voulaient endiguer la famine et rétablir la paix au nom de l'ingérence humanitaire. À l'époque, Bernard Kouchner avait lancé dans les écoles le projet « Du riz pour la Somalie », ce fut l'un de ses gestes les plus médiatisés et les plus controversés. Il était sans cesse accompagné par un contingent de journalistes qui purent immortaliser cet instant où la France se rendit au chevet d'une population à bout de forces.

Et ce sont bien les médias qui provoquèrent, en 1993, l'intérêt soudain du monde industriel pour le pays. L'intervention américaine a été orientée et rythmée par des impératifs médiatiques, tant et si bien que les marines débarquèrent sous les projecteurs.

L'opération qui devait restaurer l'ordre et fournir une aide alimentaire s'acheva quelques mois plus tard et 10 000 morts somaliens plus loin. L'ordre n'était toujours pas restauré et les Somaliens continuaient à vivre dans le dénuement.

En 1993, voyant que la mission américaine était insuffisante, l'ONU prit le relais (Onusom) avec plusieurs dizaines de milliers d'hommes.

Cette même année, suite à un échec contre les miliciens du général Aidid qui tuèrent dix-huit soldats américains, le président américain Clinton décida le retrait de ses troupes.

Malgré un accord de réconciliation signé en 1994, à Nairobi, par les deux chefs Hawiye, le bourbier était tel que l'ONU dut monter une nouvelle opération pour libérer ses derniers casques bleus, devenus otages. En mars 1995, après la mort de 151 soldats l'Onusom prenait fin.

En 1996, le général Aidid mourut ; son fils lui succéda. Peu à peu, le pays laissé à l'abandon se divisa en trois États, dont seul le Puntland (créé en 1998) fut reconnu par la communauté internationale. En 2004, les différents clans somaliens finirent par se mettre d'accord sur le partage du pouvoir et Abdullahi Yusuf Ahmed, le président du Puntland, fut élu président du Gouvernement fédéral de transition (GFT). Les conflits entre milices perdurant, il dut gouverner depuis le Kenya.

En 2005, les Tribunaux islamiques apparurent en Somalie. C'était un nouveau mouvement dont les milices, appelées Al-Shabab, sont commandées par un homme formé en Afghanistan et soupçonné d'être membre d'Al-Qaïda. En juillet 2006, après quatre mois de combats contre des chefs de guerre pourtant soutenus par Washington, les milices des Tribunaux islamiques, qui contrôlaient déjà le centre et le Sud du pays, s'emparèrent de Mogadiscio.

Un an plus tard, poussée à agir par les États-Unis et bien qu'elle n'eût pas de mandat international, l'Éthiopie intervint aux côtés des forces du GFT pour reprendre la capitale et les régions contrôlées par les islamistes. Les combats continuèrent entre les miliciens soutenant le GFT, les miliciens d'Al-Shabad qui disaient lutter contre « l'invasion » éthiopienne et les miliciens tribaux Hawiye qui combattaient le président du GFT uniquement parce qu'il était Darod. L'intervention de l'Éthiopie a plongé la capitale et sa région dans des combats toujours plus dévastateurs qui entraînèrent la fuite de milliers de réfugiés.

En mars 2007, la Force de l'Union africaine (Amisom) se déploya à Mogadiscio avec 1 500 soldats ougandais et 1 500 burundais, et devait permettre au GFT de s'installer à Mogadiscio.

Le 9 juin 2008, le GFT et une partie des milices claniques de l'Alliance de relibération de la Somalie signèrent un cessez-le-feu, à Djibouti, qui prévoyait le retrait des troupes éthiopiennes. Cependant quelques islamistes modérés, en accord avec Cheikh Hassan Dahir Aweys, leader de l'Union des Tribunaux islamiques, relancèrent les combats.

Depuis lors, les affrontements n'ont cessé de s'intensifier entre soldats de l'Amisom et miliciens d'Al-Shabab. Ces derniers se sont emparés du port de Kismayo, ce qui facilite leur approvisionnement, tandis que le Puntland subit les dégâts de la piraterie, l'argent des rançons ne faisant qu'accroître le pouvoir des « mafieux » somaliens.

Le 29 décembre 2008, Abdullahi Yusuf Ahmed démissionna pour avoir échoué à ramener la paix. En janvier 2009, tandis que les troupes éthiopiennes achevaient leur retrait, Sharif Cheikh Ahmed, dirigeant des islamistes modérés, fut élu président par le parlement de transition.

À MON RETOUR, en me penchant avec acharnement sur ce pays au large duquel mon rêve avait sombré, je découvrais avec stupeur des informations que nos médias n'avaient pas l'habitude de rapporter. Je n'aurais pas la prétention d'être exhaustive, mais je voudrais mettre des mots sur ce qui me choque et donner à voir, à ceux qui le souhaitent, comment des hommes en arrivent à s'armer et à parcourir les mers, au mépris du danger, en quête d'improbables otages.

Je découvris tout d'abord que les organisations internationales ont, depuis les années 1970, encouragé la pêche dans l'océan limitrophe. Puis les ressources halieutiques ont été pillées, à partir de 1991, par des pêcheurs asiatiques et européens peu scrupuleux et prêts à exploiter le désordre interne de la Somalie. Ils ont détruit en les surexploitant les réserves halieutiques, plus de 300 millions de pièces de thons, de crevettes, de homards et autres ont été volées chaque année par d'énormes chalutiers-usines pêchant illégalement dans les mers somaliennes non protégées. Les pêcheurs locaux, perdant ainsi leurs moyens de vivre, ont été gagnés par la faim.

Selon Andrew Mwangura, coordinateur du Programme d'Assistance des Marins du Kenya, les gros chalutiers asiatiques pêchaient dans les eaux somaliennes en toute illégalité après avoir acquis de faux permis de pêche délivrés par des entrepreneurs somaliens vivant en Malaisie. Ainsi, pour 9 000 $, ils pouvaient travailler « légalement » pendant deux mois.

Selon un rapport de la FAO (Organisation des Nations unies pour l'alimentation et l'agriculture) daté de 2005, 700 navires pêcheraient régulièrement, et illégalement, dans la zone de la Corne de l'Afrique.

Au-delà de la pêche illégale, il y a aussi un pillage en règle des eaux internationales, un peu partout dans le monde. Les flottes des pays industrialisés font leur beurre au large des pays qui n'ont même pas les moyens de développer une pêche industrielle. De quel droit s'octroient-elles le pillage des eaux, internationales certes, mais tout de même bien éloignées de leur pays d'origine ? En France, la pêche côtière disparaît peu à peu, essentiellement par volonté gouvernementale. Les marins pêcheurs n'ont souvent plus d'autres choix que d'embarquer sur ces navires-usines. Cette pêche intensive profite toujours aux gros armateurs des pays développés. La flotte française de thoniers senneurs pêchant le thon tropical comporte 25 unités, gérées par trois armateurs, et immatriculées, pour la plupart, à Concarneau. Cinq de ces navires pêchent dans l'océan Atlantique, notamment au large de la Côte d'Ivoire, et 20 dans l'océan Indien, dont une quinzaine pêchant entre les Seychelles et la Corne de l'Afrique. En 2007, la production de l'ensemble de cette flottille s'est établie à 100 119 tonnes, pour une valeur totale de 121 millions d'euros. Sans oublier les 25 thoniers espagnols qui sillonnent aussi l'océan Indien[1]. Ne devrait-on pas plutôt envisager d'aider les Somaliens, les Kenyans ou encore les Yéménites à développer leurs propres flottilles et à gérer les ressources disponibles près de chez eux ?

En dépit des quantités astronomiques de poissons pêchés, l'usine Saupiquet de Vannes est appelée à fermer ses portes en 2010 ; les efforts des salariés, depuis plusieurs années, pour faire baisser les charges fixes n'ayant manifestement pas suffi. La recherche de nouveaux marchés qui permettraient de faire tourner les lignes de production n'aurait rien donné, dit-on. Toutefois, certaines lignes de fabrication ne s'arrêteront pas, mais seront délocalisées à Quimper

1. *Le Télégramme*, 16 septembre 2008.

et en Italie. Saupiquet possède sa propre flotte de thoniers, cinq bateaux, dont certains sillonnent les eaux dangereuses de la Somalie et des Seychelles. De leur côté, les employés considèrent que la protection militaire coûte trop cher à l'entreprise. En effet, depuis juillet 2009, une soixantaine de fusiliers marins embarquent régulièrement à bord des thoniers français, établis aux Seychelles, pour assurer leur sécurité durant les campagnes de pêche et repousser les éventuelles attaques des pirates.

Les Espagnols[1] ont trouvé injuste, au départ, que leur gouvernement ne prenne pas la même initiative car, bien sûr, les navires protégés peuvent plus facilement se rendre dans les zones poissonneuses, qu'ils détectent à la présence des oiseaux. Mais c'est oublié puisqu'ils bénéficient à présent d'une protection privée autorisée par Madrid.

En novembre 2009, Alain Cadec[2], eurodéputé et conseiller général des Côtes-d'Armor, émettait le souhait de voir la protection des thoniers, pêchant dans la zone couverte par la mission Atalante, renforcée à cause de leur vulnérabilité. Or, sur chacun des quinze thoniers français pêchant entre les Seychelles et la Somalie, embarquent déjà quatre membres des forces spéciales lourdement armés. Une convention[3] a bien été signée entre la Marine nationale et les armateurs,

1. « Somalie, la saison des pirates », Olivier Joulie, France 4, 26 janvier 2006.
2. *Le Télégramme*, 18 novembre 2009.
3. www.secretdefense.blogs.liberation.fr, 6 juillet 2009.

ces derniers prenant en charge une partie du surcoût lié au déploiement des fusiliers.

Seulement, est-il normal qu'on dise à l'aventurier que c'est un irresponsable de passer par là, que la mission d'Alindien ou d'Atalante n'est pas de le protéger et que, peut-être même, la prochaine fois, on lui fera payer les frais de sauvetage ?

Alors même que les citoyens français payent les frais de protection de ces navires-usines, pour permettre aux gros armateurs de gagner encore plus d'argent ?

Au Pakistan, comme en Guinée et un peu partout dans le monde, la pêche illégale, non déclarée et non réglementée, menace les ressources halieutiques des océans. Selon la conférence qui s'est tenue en Thaïlande en janvier 2000, avec des délégations de onze pays d'Asie sur le thème « Échapper aux mailles de la mondialisation », 84 % des populations de pêcheurs sont en Asie, soit 120 millions de personnes. Cependant, la mondialisation fragilise leurs revenus et leur mode de vie. Pour sauvegarder la pêche artisanale, il n'y pas d'autre alternative que de mettre en place des règles comme : interdire l'usage d'engins de capture destructeurs, mettre un terme aux accords de pêche et aux subventions à la pêche industrielle, arrêter le libre-échange pour les produits de la pêche, empêcher la privatisation du littoral et des plans d'eau, stopper les activités polluantes et renoncer aux grands projets de barrages, interdire la collecte des poissons coralliens et des coraux et, enfin, protéger les droits des petits pêcheurs en leur permettant une gestion participative de la ressource[1].

AU FIL DE MES LECTURES, je constatai que la ressource halieutique de la Somalie connaissait d'autres menaces que la pêche intensive. Certaines entreprises européennes sont suspectées d'avoir, durant les années 1980 et 1990, sauvagement déversé en mer, aux abords du pays, des déchets radioactifs. Tout cela en profitant des divergences claniques et de la faiblesse d'un État rongé par les conflits et la famine. Pour les mafieux occidentaux, rien n'est plus facile que d'obtenir d'un chef de clan une autorisation de stockage de déchets, moyennant de l'argent ou des cargaisons d'armes. K'Naan, poète et chanteur de hip-hop somalien, exilé en Amérique depuis la guerre civile, explique[2] ainsi que la société suisse Achair Partners et l'entreprise italienne Progresso auraient signé un accord avec le gouvernement somalien les autorisant à déverser leurs conteneurs de déchets toxiques dans les eaux somaliennes. Dès 1992, Debora MacKenzie, journaliste au *New Scientist*[3] évoque elle aussi un arrangement entre des sociétés suisse et italienne et le ministre de la Santé du gouvernement d'Ali Mahdi Mohammed, signé en 1991. Certains analystes estiment aujourd'hui à dix millions de tonnes le

1. www.ritimo.org/dossiers_thématiques/peche
2. *Courrier International*, n° 963, avril 2009 (extrait *URB Magazine*, Los Angeles).
3. *New Scientist*, 19 septembre 1992, www.newscientist.com/article/mg13518390.400-toxic-waste-adds-to-somalias-woes-.html

volume de déchets venus polluer les côtes du pays. Et pour cause, hors échanges d'armes, les tarifs sont alléchants : 2,50 dollars la tonne, c'est le prix à payer pour abandonner une tonne de matériaux dangereux sur le continent africain. En Europe, pour le même volume, il faudrait débourser 250 dollars de traitement. Pourquoi se perdre en hésitations ?

À la lumière des faits, sachant que la Somalie est un État de non-droit incapable de surveiller ses côtes, on est tenté de considérer d'un autre œil les autorités occidentales qui se battent (vainement) en mer contre la piraterie, en désignant les pirates de « mafieux ».

Dès 1995, certains observateurs locaux, comme le leader du clan Osman Mahmoud des Majertein, du Nord-Est de la Somalie, dénonçaient le déversement, par des entreprises européennes, de déchets toxiques dans les eaux somaliennes. Dans une lettre adressée à Greenpeace et au Programme des Nations Unies pour l'environnement (PNUE), il indiquait que ces pollueurs auraient passé des accords avec les responsables de certaines factions somaliennes[1]. En 2004, le chef du district d'El Dehere dit avoir envoyé « de nombreux messages à l'ONU et à l'Union européenne » mais son appel à l'aide serait resté sans réponse[2]. Malgré ces tentatives, les informations susceptibles de compromettre les entreprises européennes sont longtemps demeurées cachées, et il a fallu attendre le tsunami

1. *La Lettre de l'océan Indien*, 14 octobre 1995. www.africaintelligence.fr
2. « La Somalie, poubelle de l'Europe », *Courrier International*, 8 juillet 2004.

de 2004 pour que le PNUE publie, en février 2005, un communiqué de presse[1] mentionnant la situation environnementale déplorable de la Somalie. Les opinions publiques y découvraient l'implication de certains États européens dans la transformation du littoral somalien en dangereux dépotoir radioactif.

La secousse sismique du 26 décembre 2004 donnait en effet une nouvelle ampleur au problème de la pollution : elle avait remué sur les plages « des dépôts de déchets dangereux » remontés à la surface et ce mouvement eut des retombées sur « les communautés de pêcheurs aux alentours ». Ainsi l'on vit se déclarer chez les habitants des zones affectées des problèmes de santé inhabituels, et entre autres des « troubles pulmonaires graves » et des « infections de la peau ».

On l'ignore souvent, mais la vague de 2004 a ravagé 650 km de côtes en Somalie, entre Hafun et Garacad. Le raz-de-marée est arrivé en pleine saison de pêche, tuant 300 personnes, dévastant plus de 15 000 habitations, polluant les nappes phréatiques et emportant sur son passage tout le matériel de pêche qui risque à présent de nuire à la vie des fonds marins.

Si, en aggravant considérablement la situation, le tsunami a permis de porter le désastre environnemental sur la scène internationale, plusieurs observateurs de l'ONU ont constaté par ailleurs, dès 2004, que des containers suspects s'ensablaient régulièrement sur la côte somalienne, et qu'au-delà des symptômes observés sur la population, cette pollution provo-

1. « Après le tsunami, Une évaluation environnementale préliminaire », www.unep.org

quait maladies et comportements étranges chez les animaux marins. Selon Nick Nuttall, un porte-parole du PNUE, les containers renfermeraient de « l'uranium, d'autres déchets radioactifs, des métaux lourds, comme plomb, cadmium, mercure, et des déchets toxiques[1] ».

Dans un article daté du 8 juillet 2004[2], c'est le journaliste Massimo A. Alberizzi, du *Corriere della Sera*, qui affirmait avoir vu un container ensablé sur une plage d'Igo, à 350 km au Nord de Mogadiscio ; Abdullahi Aboukar, pêcheur des environs, lui ayant expliqué que la chose était dangereuse, toxique, et qu'elle avait provoqué chez les habitants du coin « des malaises ». Abdi Nur, directeur adjoint de la coopérative de pêcheurs de Maregh, un village situé à 15 kilomètres au Nord d'Igo, lui a également décrit les symptômes constatés sur la faune marine : il est notamment devenu possible de pêcher à la main, car certains poissons sont aveugles. Lorsqu'on les attrape, ils ne gigotent pas, ne cherchent pas à fuir. Les tortues, elles, paraissent désorientées et, après être sorties de l'eau pour poser leurs œufs sur le sable, elles avancent vers la terre ferme au lieu de retourner à la mer. Je passe sur les découvertes régulières de bidons, que les pêcheurs enfouissent à la hâte et de leurs mains. Et encore, l'état de la côte n'est-il probablement rien à côté de celui du large. Combien de fûts ont-ils été largués au fond de la mer ? Combien de déchets

1. « Après le tsunami, Une évaluation environnementale préliminaire », www.unep.org
2. « La Somalie, poubelle de l'Europe », *Courrier International*, 8 juillet 2004.

radioactifs ? Et que se passera-t-il lorsque ces containers seront usés au point de libérer leur contenu dans
les eaux somaliennes ?

LORSQUE L'ON CHERCHE un coupable, on s'en remet
toujours à cette entité floue qu'est le « crime organisé ».
Mais derrière la formule se dressent des individus,
hommes politiques ou chefs d'entreprise apparemment bien sous tout rapport, qui profitent d'une
économie somalienne instable et du besoin en armes
imposé par les nombreux conflits. La catastrophe,
invisible jusqu'en 2004, laisse pourtant peser une lourde
menace sur les côtes où vit plus de la moitié de la
population somalienne.

En m'intéressant aux responsables de ces trafics, je
compris qu'il n'était pas vain de penser que la mafia italienne y était mêlée. Les clans de Naples, de Caserte et
de Calabre sont devenus une référence en matière de
trafic d'armes provenant des anciens pays socialistes de
l'Est. Roberto Saviano[1] explique d'ailleurs que le prix
d'une kalachnikov d'occasion reflète bien la situation
des Droits de l'Homme dans le pays de la transaction.
Quand on sait qu'en 2009 Al-Shabab a organisé un
concours d'apprentissage du Coran pour les 10-25 ans
et que l'un des prix était une kalachnikov[2], on se fait une
idée de la situation alarmiste du pays.

Ainsi, en 2002, l'avocat Francisco Magliulo était
arrêté. Mis en cause : ses liens avec le clan Mazzarella, à

---

1. *Gomorra*, Gallimard, 2007.
2. « Les kalachs forment la jeunesse », *Courrier International*,
22 octobre 2009.

la tête d'une filiale criminelle à Naples. Les deux années durant lesquelles il fut placé sur écoutes avaient en effet révélé qu'il téléphonait régulièrement en Italie de la villa du général Aidid, à Mogadiscio. Si le trafic d'armes devenait une piste essentielle pour les enquêteurs dans les relations entre Somalie et mafia, la question avait été soulevée bien avant, à travers Ilaria Alpi. Cette jeune femme, reporter pour la chaîne Rai TG3, parlant couramment arabe, enquêtait en Somalie. Là-bas, elle interviewait aussi bien les dirigeants de l'ONU que les hauts militaires italiens ou les seigneurs de guerre. Avec son cameraman, Miran Hrovatin, elle y fut assassinée par des miliciens le 20 mars 1994. On spécula beaucoup sur les raisons de son exécution, et plusieurs versions des faits circulèrent : elle aurait détenu des informations compromettantes pour des militaires et des hommes politiques italiens prouvant qu'ils livraient des armes à certains chefs de clans somaliens contre l'abandon de déchets toxiques le long de leur côte ; elle aurait appris que des soldats italiens torturaient des prisonniers somaliens pendant leur participation à l'opération de l'ONU en 1993 ; elle se serait également procuré des renseignements sur Al-Qaïda en Somalie... Quoi qu'il en soit, plusieurs de ses carnets de notes ainsi que sa caméra disparurent avec elle. On ne put, alors, retrouver l'entretien qu'elle avait eu quelques jours auparavant avec le sultan de Bossasso[1].

1. Les clans, ainsi que certains sous-clans, sont dirigés par les anciens titrés. Le titre octroyé varie suivant les individus ; ainsi le chef d'un clan peut être appelé « suldaan » (sultan), « garaad », ou encore « bokor » (roi).

Les doutes persistèrent, jusqu'à ce qu'un rebondissement survienne en 1997, lorsque le magazine italien *Panorama* publia[1] un reportage photographique dans lequel on voyait des soldats italiens poser des électrodes sur les testicules de prisonniers somaliens attachés au sol, ou violer des Somaliennes avec le canon de leurs armes. Ces photos avaient été prises par les militaires eux-mêmes. Suite à la publication de ces clichés, le gouvernement italien fut obligé d'ouvrir une enquête, grâce à laquelle on apprit que Francisco Aloi[2], policier en poste en Somalie dans les années 1990, avait rencontré Ilaria. Dans un carnet, mis à jour par la procédure, il avait noté des informations clefs : la journaliste avait, dit-il, découvert certains abus, dont elle avait rendu compte au général Bruno Loi, chef du contingent italien en Somalie, le menaçant de révéler les faits au grand jour s'il ne s'engageait pas à mettre fin aux actes barbares dont elle avait été le témoin. Malgré ce témoignage, de nombreux éléments, et notamment les paradoxes entourant l'enquête initiale, semblèrent finalement valider l'hypothèse selon laquelle Alpi et Hrovatin auraient été tués pour avoir enquêté sur un trafic illégal d'armes et de déchets toxiques dans le cadre du programme de coopération et de développement entre l'Italie et la Somalie. Seul un milicien somalien, Hashi Omar Hassan, fut arrêté et accusé d'avoir fait partie du commando assassin. Il fut condamné à perpétuité le 24 juin 2002 par la cour

1. *Panorama*, 5 juin 1997.
2. www.netnomad.com/ilaria

d'assises de Rome. Mais celle-ci, estimant que les meurtres avaient été commis sans préméditation, commua sa peine à 26 ans de réclusion. Fin juillet 2003, une commission d'enquête parlementaire spécifique fut donc ouverte sur la mort d'Ilaria Alpi et de Miran Hrovatin, dans le but d'établir les mobiles et les circonstances du double meurtre. Entendu par la police, Gianpaolo Sebri, un acteur du trafic de déchets, à présent collaborateur des magistrats italiens, avait confirmé que la Somalie était devenue « une nouvelle poubelle, et aussi le pays de destination de plusieurs cargaisons d'armes ». Selon lui, tout cela était orchestré par la mafia calabraise. Dans une lettre adressée à des journalistes de *Famiglia Cristiana*[1], Guido Garelli en venait à évoquer le sort d'Ilaria Alpi, et les raisons de son assassinat : elle aurait touché à l'époque « au secret le plus jalousement caché en Somalie. La décharge de déchets payée avec de l'argent et des armes[2] », Lui-même connaissait bien les trafics entre l'Italie et l'Afrique puisqu'il était à l'origine du projet « Urano », une opération menée dès 1987 et qui prévoyait « l'envoi d'une grande quantité de déchets dans un énorme cratère naturel[3] » du Sahara espagnol. En 1992, à Nairobi, fut signée une « lettre d'intentions », classée « réservée », sur papier à en-tête de l'Administration territoriale du Sahara, et sur laquelle on peut lire[4] la chose suivante :

1. www.ardhd.orglaffinfo.asp?articleID=11954
2. www.resosol.org/contronucleaires/Nucleaire/controverses/mafia-italienne-et-nucleaire
3. www.ardhd.org/affinfo.asp?articleID=11954
4. www.resosol.org/contronucleaires/Nucleaire/controverses/mafia-italienne-et-nucleaire

« Les rencontres et les conversations que nous essaierons d'avoir et de conduire, avec l'œuvre irremplaçable du consul de Somalie en Italie, le professeur Ezio Scaglione, porteront sur la possibilité de développement du Projet Urano, pour la partie déjà connue, dans la Corne d'Afrique... » Le document était signé Guido Garelli, pour l'Administration territoriale du Sahara, Ezio Scaglione, consul de Somalie en Italie, et Giancarlo Marocchino, entrepreneur italien vivant en Somalie.

Ces éléments ne suffirent cependant pas à convaincre le procureur et il réclama, en 2007, le classement de l'affaire, considérant que, excepté Hashi Omar Hassan, les responsables du double meurtre étaient impossibles à identifier. Plus de traces, plus de commanditaires.

Il semblait qu'Ilaria avait mis le doigt sur les liens entretenus par des hommes politiques et des mafieux italiens avec les chefs de guerre somaliens, alors je poussai plus loin mes recherches, remontant aux années 1980.

En 1983, le gouvernement italien signa l'accord « Survey, Food and Disarmement », proposé par une cinquantaine de lauréats du Prix Nobel pour enrayer la pauvreté dans le monde. Il obtint pour le mettre en œuvre le soutien des Nations Unies. L'accord réclamait pour chaque pays développé une participation de 1 % du PNB dans l'aide aux pays les plus pauvres. L'ONU fixa cet objectif à 0,7 %. L'Italie s'engagea à hauteur de 0,27 % et ainsi naquit le « Fondo di Aiuto Italiano » (Fond d'aide italien), créé dans le but de gérer les milliards dégagés à la signature de l'accord, car, à l'époque, aucune structure n'existait en Italie qui fût capable de remplir une telle mission[1]. Mais en 1992, lorsqu'une opération judiciaire, dite « Mains propres », fut lancée contre la corruption du monde politique italien, elle révéla le détournement des crédits du FAI au profit du financement du Parti socialiste italien, dont certains membres entretenaient des liens étroits avec Syad Barre[2]. Cela fait donc longtemps que les magistrats italiens ont connaissance d'éventuels trafics avec leur ancienne colonie. Selon Gianpaolo Sebri, il existe une organisation très structurée en Italie, avec des ramifications dans toute l'Europe. À sa tête, se trouverait Nickolas Bizzio, richissime homme d'affaires italo-américain qui entretiendrait des rapports avec le trafiquant d'armes Monzer al-Kassar[3]. Ce Syrien est emprisonné aux États-Unis depuis 2008 pour avoir vendu des armes aux FARC, entre autres. Suite à ces déclarations, le magistrat milanais Romanelli autorisa une opération d'infiltration, qui donna lieu à un certain nombre de révélations.

Après l'avoir mis sur écoutes, le 18 septembre 1997, les fonctionnaires de la PJ italienne surprenaient Bizzio[4] pendant un déjeuner, en train de raconter à son interlocuteur son expérience dans le

1. *Courrier de la Planète*, n° 33, mars-avril 1996.
2. *Una sconfitta dell'intelligenza. Italia e Somalia* (*Italie et Somalie, une défaite de l'intelligence*), Angelo del Boca, Laterza, 1993.
3. Connu aussi sous le nom de « Prince de Marbella ».
4. http ://www.bakchich.info/spip.php ? page = imprimir_articulo & id_article = 8745

domaine de l'écoulement des déchets toxiques. Les références abondaient (Haïti, Guinée, nature des déchets toxiques, provenance, noms des bateaux...) ainsi que les chiffres de diverses opérations (cinq cent mille tonnes, 100 dollars par tonne...). Le 9 octobre 1997, Bizzio précisait être l'un des pionniers du secteur. Le 7 novembre 1997, c'était le tour du continent africain. Bizzio évoquait « ces pays en Afrique où l'on pourrait envoyer tout ce qu'on veut..., car c'est la nature même qui s'occupe de tout recycler ». La nature, c'était le degré d'humidité, la chaleur, les mouvements de la terre, des sables... Autant de phénomènes susceptibles d'« avaler » les déchets, et épargnant la construction d'infrastructures...

Pourtant, lors d'une interview accordée à *Famiglia Cristiana*[1] en octobre 2000, Bizzio se contredisait sur la question de son implication dans un trafic de déchets Italie-Somalie. Il y disait d'abord avoir rencontré Monzer al-Kassar, à l'occasion de tractations concernant le Mozambique, puisqu'il devait être l'armateur fournissant les navires pour le transport des déchets. Puis il démentait l'envoi de déchets toxiques, affirmant que cet envoi était demeuré, vu la rigueur des normes pour l'exportation des matériaux toxiques, une simple « hypothèse de travail ». Les journalistes s'étonnèrent alors du fait qu'un homme d'affaires de son niveau se soit impliqué dans un marché aussi spécifique, pour finalement échouer à concrétiser ses projets...

1. http://resosol.org/contronucleaires/Nucleaire/controverses/mafia-italienne-et-nucleaire/04-poubelle-la-vie.html

Bien sûr, si ces enquêtes confirment les doutes des magistrats italiens sur les relations entretenues par les hommes politiques italiens et la mafia avec la Somalie, elles n'en inquiètent pas pour autant les protagonistes. Bizzio possède une villa sur l'île de Cavallo et nombre de ses voisins faisaient partie de la Loge P2, cette loge maçonnique soupçonnée de liens avec des groupes terroristes d'extrême droite, dissoute en 1981, et dont faisaient partie des ministres, des hommes politiques, des hommes d'affaires, des officiers de l'Armée, de la police... et même Silvio Berlusconi. Dans cette même logique, plusieurs enquêtes de la DDA (Direction départementale antimafia) de Naples, de 1993 à 2006, révélèrent que les Bidognetti – un clan de Caserte allié à la loge P2 – étaient actifs sur le marché des déchets toxiques.

Depuis le 31 janvier 1991, la Convention internationale de Bamako interdit pourtant aux entreprises occidentales toute importation de déchets toxiques en Afrique. Il semblerait que l'Italie – qui n'est guère qu'un exemple dans la cohorte des pays exportateurs (Royaume-Uni, Espagne, États-Unis...) – n'ait pas mis fin au trafic, mais qu'elle se soit seulement montrée plus discrète, révélant aux Africains, s'il le fallait encore, le peu d'intérêt que leur portent les Occidentaux.

La PIRATERIE est un crime, et, pour cette raison même, je ne l'approuve pas en tant que telle ; seulement, ce que je découvre chaque jour me fait considérer d'un œil nouveau ces jeunes gens que l'on appelle pirates. Pour la plupart, ce sont des individus

aissés-pour-compte, qui n'ont jusque-là
 guerre, le chaos, abandonnés par leur
 ommunauté internationale » et qui n'ont
 ective d'avenir. Néanmoins, je ne consi-
dère pas comme anodins le rôle de la pollution, ses
causes et ses conséquences, dans le fait que la piraterie ait pris récemment une nouvelle envergure. Dans
Moi Osmane, pirate somalien[1], Laurent Mérer fait
allusion au tsunami de 2004 et aux phénomènes qui
l'ont suivi. Le jeune Osmane, futur pirate, voit « des
poissons morts par bancs entiers [...] s'échouer sur
les plages et "d'étranges maladies" toucher les enfants
et les personnes âgées. Il y a aussi ces hommes, qui
viennent "avec des appareils de détection et du matériel de mesure". Et puis il parle de Gouled, un des
pêcheurs du village qui tentait de protéger les côtes
de la pêche illégale et qui reprit le chemin de la mer,
mais qui avait changé, dorénavant on lisait "la rage
sur son visage" ». Le vice-amiral d'escadre Laurent
Mérer fut commandant de la zone maritime de l'océan
Indien (Alindien), on peut donc imaginer qu'il connaît
bien son sujet.

Selon le Bureau maritime international (BMI), les
attaques dans le golfe d'Aden et l'océan Indien ont
augmenté de 200 % en 2008 avec 111 attaques, tandis
que les actes de piraterie dans le reste du monde ont
progressé de 11 % avec 293 attaques. Après la Somalie,
la région la plus touchée est le Nigeria (40 attaques
en 2008). En 2009, toujours selon le BMI, les actes
de piraterie dans le monde ont augmenté de 39 %

1. Koutoubia, 2009.

avec 406 attaques, dont la moitié par des pirates somaliens. Depuis 2005, donc, l'escalade ne cesse. Au Nigeria, la piraterie sert essentiellement à des revendications politiques. Les prises d'otages sont généralement opérées par le Mouvement pour l'émancipation du Delta du Niger (MEND) sur les pétroliers des grandes multinationales. Il faut dire que le gouvernement du Nigeria fait partie des plus corrompus de la planète. Le pays est dirigé par l'alliance instable de clans mafieux et pseudo-mafieux et son budget est issu à 80 % des revenus pétroliers (le Nigeria figurant parmi les plus grands exportateurs mondiaux). Les puits, situés dans la zone marécageuse du Delta du Niger – dont l'armée a préalablement et violemment expulsé les populations –, polluent énormément le Delta et prédisent une catastrophe écologique. Quant aux Nigérians, loin de profiter de l'économie pétrolière, ils en subissent uniquement les dégâts. D'ailleurs, les travailleurs du pétrole sont des expatriés vivant à l'écart des Nigérians, dans des camps spécialement conçus à leur intention par les multinationales, qui financent le « gouvernement » du pays. Des pirates Robin des bois issus des populations abandonnées tentent alors de rééquilibrer les profits.

La piraterie est toujours liée à des problèmes économiques : si elle est apparue au Nigeria et dans le golfe de Guinée avec la mise en place des exploitations pétrolières, elle trouve ailleurs sa source dans le trafic de drogue (mer des Caraïbes) ou dans l'explosion soudaine du trafic commercial (détroit de Malacca). En Somalie, elle s'est constituée comme réaction au pillage des eaux territoriales par des nations étrangères. Dans les années 1990, certains pêcheurs se sont peu à peu transformés en gardes-côtes pour dissuader les Français, Japonais, Espagnols, Coréens et autres de pêcher dans leurs eaux. Celles-ci, en effet, étaient devenues, à l'image du reste du pays, des zones de non-droit. Ces « gardes-côtes » improvisés se contentèrent d'abord de prendre le produit de la pêche ou la caisse de bord des navires hors la loi. Il s'agissait donc plus de brigandage que de piratage, ces actions ayant lieu dans les eaux territoriales.

Depuis trois millénaires, la piraterie affecte la quasi-totalité des espaces maritimes. Pour qu'il y ait piraterie, trois conditions suffisent : la circulation de ressources par la voie maritime, une insécurité des mers et des gens démunis prêts à risquer leur vie pour tenter de redistribuer une partie de la richesse[1]. La piraterie fait partie de la tradition du Puntland, mais on ne peut pas nier qu'elle a trouvé un nouvel essor dans le chaos ambiant. De nombreux marins expérimentés et sans travail, une flopée de jeunes hommes désœuvrés, une espérance de vie à terre plus que limitée et l'appui stratégique des entrepreneurs de la diaspora (Kenya, Yémen, Malaisie, Arabie)... Toutes les conditions étaient réunies pour favoriser la « renaissance » de la piraterie dans la région.

Durant « l'âge d'or de la piraterie », de 1650 à 1730, la légende disait des pirates qu'ils étaient des « êtres insensibles », et une « menace sauvage » ; une légende en vérité « propagandée » par le gouvernement britannique. Les gens du peuple savaient que

1. http://www.gabrielperi.fr/Piraterie-Les-Freres-de-la-Cote

les pirates les sauvaient bien souvent, au contraire, des mains de leurs geôliers. Ces hommes furent les premiers à se rebeller contre la tyrannie imposée par les Capitaines de la Marine marchande ou de la Navy. Ils inventèrent ainsi une autre manière de naviguer et de vivre sur la mer. Quand ils détenaient un bateau, ils élisaient leur Capitaine et prenaient leurs décisions collectivement.

Il leur est arrivé, par exemple, de libérer des esclaves africains, puis de vivre avec eux sur un pied d'égalité. En montrant que le despotisme n'était pas indispensable pour conduire un navire et son équipage, ils se faisaient alliés de la population. Comme un écho aux propos des pirates somaliens, les paroles de William Scott, jeune Britannique de cette époque ancienne, qui déclarait : « Quoi que j'aie fait, cela m'a permis de survivre. J'ai été contraint de devenir pirate pour survivre[1]. » De son côté, Sugule Ali, ce pirate moderne, déclare aussi leur motivation : « Nous considérons que les vrais "bandits de la mer" sont ceux qui pêchent illégalement et nous concurrencent chez nous, qui jettent leurs ordures nucléaires dans nos eaux, et transportent des armes sur nos mers. Ce sont eux les "bandits"[2] ».

Le site web indépendant somalien WardherNews a conduit un sondage en 2008, sur ce que pensent les Somaliens ordinaires et a découvert que 70 % des Somaliens soutenaient la « piraterie » comme une

1. « "Pirates somaliens" et mensonges impérialistes » Johann Hari, *London Independant*, 4 janvier 2009.
2. *Ibid.*

forme de Défense des eaux territoriales. Quelle différence avec George Washington et les Pères fondateurs qui payaient des pirates pour protéger l'Amérique et ses eaux territoriales, car ils n'avaient ni Marine nationale ni gardes-côtes ? Ceux-là aussi étaient soutenus par le peuple.

L'Assemblée européenne de sécurité et de défense a publié, le 4 juin 2009, un rapport[1] sur le rôle de l'Union européenne dans la lutte contre la piraterie où elle n'omet pas de demander que des accords de pêche soient mis en place et que la ZEE[2] (Zone économique exclusive) somalienne soit protégée de la pêche illégale. Le rapport insiste sur la participation nécessaire de la Communauté internationale au processus de réconciliation en Somalie afin d'y instaurer un État de droit.

Ce rapport a raison d'insister sur l'importance à respecter la ZEE somalienne. La plupart des pirates viennent du Puntland, cette région semi-autonome, qui est aussi la plus pauvre et que couvrent environ 800 km de côtes. Ni la Somalie ni le Puntland ne peuvent assurer leur souveraineté sur cette zone ; or, selon les Nations Unies et Greenpeace, la pêche illégale priverait chaque année la Somalie de 300 millions de dollars de revenus.

Aujourd'hui, les objectifs de la piraterie sont moins nobles (les bateaux sont capturés dans les eaux inter-

1. www.assembly-weu.org/fr/documents/sessions.../2037.pdf
2. Zone définie par la convention des Nations Unies sur le droit de la mer (CNUDM) de 1982. La zone s'étend jusqu'à 200 km des côtes.

nationales et libérés seulement après rançon), mais le phénomène est compréhensible. L'argent de la piraterie fait partie intégrante de l'économie des régions contaminées par la pollution des côtes, chaque petit intermédiaire percevant une part de la rançon. Sans oublier les nombreuses professions qui gravitent autour des opérations : commerçants (alimentation, gasoil, khat), comptables, interprètes... La population ne pourra s'opposer à la piraterie tant que cette pollution sera présente et qu'un État de droit ne sera pas restauré. La totalité des rançons versées en 2008 est estimée, selon les organismes, entre 18 et 30 millions de dollars. En comparaison, le budget annuel du Puntland s'élève à 20 millions de dollars.

Les Tribunaux islamiques instaurés en 2005 avaient commencé par réprimer la piraterie. Pour faire un exemple, ils étaient allés jusqu'à pendre le chef des pirates d'Hobyo, l'année suivante, favorisant une récession des attaques entre 2006 et 2008. Cependant, ils ont vite pris la mesure de la manne financière que constituait la piraterie et de l'économie réelle qui avait prospéré autour d'elle ; les villes côtières ont profité d'aménagements modernes, comme des aéroports, permettant aux échanges commerciaux, qui marchent avec la piraterie, de s'enrichir : khat, gasoil, nouveaux 4 × 4, téléphonie mobile (le marché somalien des télécommunications est le deuxième d'Afrique).

Le golfe d'Aden est un point de passage névralgique pour le commerce entre l'Europe et l'Asie, puisque c'est le deuxième axe du transport maritime mondial. 16 000 navires empruntent cette route chaque année, transportant un tiers du pétrole mondial et 14,6 millions de containers. Malgré le coût du passage du canal de Suez, cette route reste plus rentable pour les armateurs que le passage du cap de Bonne-Espérance. C'est donc seulement lorsque les richesses de l'Occident ont été attaquées dans la zone que l'on a entendu parler des pirates. La piraterie n'en a pas moins une longue, très longue histoire, comme en témoignent de nombreux récits de marins (Henry de Monfreid, Annie Van de Wiele, Marie Guillain...), ayant voyagé autour du monde.

La Somalie, quant à elle, n'occupait plus guère de place dans les médias depuis 1992. L'escalade médiatique s'est produite en 2008, après trois opérations consécutives : la prise d'otages du *Ponant* le 4 avril, la capture du pétrolier géant *Takayama* le 22 et, enfin, le 30 octobre, l'attaque manquée du chalutier *Le Drennec*. La Communauté internationale s'est inquiétée de l'audace grandissante des pirates lorsque ces gardes-côtes du désespoir se sont attaqués au *Sirius Star*, un pétrolier de 330 mètres de long, le 17 novembre. Après négociations, ce bateau, dont la cargaison valait à elle seule 100 millions de dollars, fut libéré contre une rançon de 3 millions de dollars. La somme versée fut dérisoire pour l'armateur, mais il fallut bien admettre que la piraterie prenait une ampleur dangereuse.

La capture du *Faina*, le 25 septembre 2008, est, à ce jour la plus représentative des dérapages possibles. La cargaison d'armes à bord (33 chars, systèmes de défense antiaérienne, lance-roquettes) était certainement destinée au Soudan avec un transit par Mombassa, et cela malgré l'embargo sur les armes adopté par le Conseil de sécurité de l'ONU. Chacun s'est demandé si Al-Shabab avait un lien avec cette attaque. Et si ces pirates venaient à se transformer en terroristes, que pourrait faire l'Occident face à une telle « bombe » ? Les relations entre Al-Shabab et Al-Qaïda ne sont pas avérées, mais Al-Qaïda a officiellement reconnu les miliciens d'Al-Shabab comme des alliés, et, dans ce contexte, la Communauté internationale ne peut plus se contenter de protéger ses richesses en mer, elle doit également prendre en compte la situation à terre. Depuis 2009, les États-Unis, l'Australie et la Grande-Bretagne ont d'ailleurs inscrit Al-Shabab sur la liste des organisations terroristes.

EFFARÉE PAR le manque d'objectivité de certains médias de masse à notre retour, j'ai d'autant plus apprécié d'entendre Olivier de Kersauson déclarer ceci : « Personnellement, si j'avais été Somalien, j'aurais été moi aussi pirate ![1] » Maintes fois, je me suis posé la question depuis ce fameux 4 avril : si la Bretagne devait connaître le même sort que la Somalie et les Bretons subir le même désespoir que les Somaliens, serais-je la première à embrasser la piraterie et à tenter d'intercepter les gros cargos dans le rail d'Ouessant[2] ?

1. « Les Grosses Têtes », RMC, 8 juillet 2009.
2. La Corse n'a pas encore plongé dans des conflits claniques tels que la Somalie, et pourtant, une première attaque de pirates a été répertoriée en Corse, en août 2008. Où qu'elles circulent, les richesses, lorsqu'elles sont indécentes, incitent au vol. Ainsi, un commando de quatre hommes armés et cagoulés a attaqué un voilier de luxe de 55 m, au Sud de Porto-Vecchio ; montant estimé du butin : 138 000 euros.

Je n'agirais pas pour blesser ou tuer, seulement pour survivre. Si chaque jour, sous mes yeux, des citoyens tombaient sous les balles, s'il me fallait risquer ma vie pour manger au quotidien, je ne vois pas bien quel espoir il me resterait.

Nombreux sont les jeunes Somaliens qui, comme des millions de malheureux en ce monde, plongent dans la religion. Cependant, intégrer les milices d'Al-Shabab n'est pas la manifestation d'un combat idéologique. Non, ces milices font régner la terreur et la violence et, paradoxalement, il paraît souvent moins dangereux à certains de devenir pirates plutôt que miliciens[1]. Ainsi l'univers de la plupart des Somaliens est-il réduit à deux opportunités extrêmes, où les conduit la misère. D'ailleurs, quand ces jeunes décident de rejoindre un groupe de piraterie, c'est en toute connaissance des règles et des dangers inhérents à ce trafic. En mer, la loi est d'une simplicité tragique : soit l'on capture un navire, soit l'on meurt de faim et de soif sur une minuscule embarcation à moteur, car les commanditaires d'une opération ne prévoient jamais de carburant pour le retour de leurs hommes.

Certes, il y a bien une troisième possibilité pour les jeunes Somaliens qui ne voudraient devenir ni pirate ni milicien, mais elle n'est guère plus réjouissante. En 2008, 50 000 clandestins se sont embarqués sur des boat people pour tenter de traverser le golfe d'Aden et chaque mois, entre 180 et 350 cadavres sont retrouvés sur les rives du Yémen.

1. « Somalie, la saison des pirates », Olivier Joulie, France 4, 2010.

Pourtant, la Somalie pourrait bénéficier de ses richesses. Dans le Benaadir, avant la sécheresse, les crues régulières des fleuves Wabi Shabeele et Jubba permettaient l'exportation de fruits et de légumes dans le Golfe. Le pays possédait 50 millions de têtes de bétail (chèvres, vaches, chameaux) et des eaux poissonneuses. Mais ses ressources minérales n'ont pas été exploitées alors qu'on lui connaît des gisements de pétrole, d'uranium, de cuivre, de manganèse, de fer, de gypse, de marbre et d'étain. Elle reçoit 500 millions de dollars par an de sa diaspora. Le Puntland, jadis appelé Punt, était aussi le pays de l'encens et de la myrrhe.

Face à cette menace grandissante pour les richesses occidentales, deux pays se distinguent dans la lutte anti-piraterie, les États-Unis et la France. Les premiers ont mis en place, le 7 octobre 2002, l'« Opération Liberté Immuable pour la Corne de l'Afrique ». Cette force maritime est déployée dans le Golfe d'Aden et l'océan Indien afin de combattre le terrorisme ; son nom est Task Force 150.

Depuis le mois de janvier 2009, la Task Force 151 a été déployée en renfort, destinée à lutter contre la piraterie. En avril 2009, suite à la capture de deux navires battant pavillon américain, Mme Clinton, Secrétaire d'État, a annoncé un plan en quatre points destiné à un soutien élargi à la Somalie. Elle a notamment annoncé que les États-Unis participeraient à la Conférence internationale sur le maintien de la paix et le développement en Somalie ; elle a appelé à trouver une réponse multinationale étendue à la piraterie ; souhaité une discussion diplomatique avec les responsables du GFT et les dirigeants du Puntland. Elle a enfin demandé que les gouvernements, les compagnies maritimes et les assureurs garantissent une coordination à la mise en place de dispositifs d'autoprotection.

Rappelons que les États-Unis ont accueilli de nombreux réfugiés somaliens, essentiellement dans les années 1990. La ville de Minneapolis en recense 70 000. Certains islamistes radicaux sont soupçonnés d'embrigader de jeunes Américains d'origine somalienne afin de leur faire intégrer les milices Shabab. La plupart de ces jeunes gens ont peu ou pas connu leur pays d'origine. Le 29 octobre dernier, l'Américain Shirwa Ahmed, âgé de 27 ans, tuait trente personnes en se faisant exploser près de Mogadiscio. Il est, de fait, le premier citoyen américain à avoir commis un attentat suicide.

L'opération Atalante a pris naissance suite à la coalition internationale créée en 2001 sous le nom d'*Enduring Freedom*. Menée par les Américains, elle avait pour but de lutter contre le terrorisme après les attentats du 11 Septembre. Elle a également pour mission d'organiser des patrouilles et des escortes dans le golfe d'Aden et met en place des représentants des armateurs au sein de l'état-major d'opération à Northwood. Cette opération prévoit en outre la mise en place d'un site internet permettant l'échange en temps réel d'informations à l'attention des bateaux en mer.

Alindien, quant à lui, est compétent sur la zone maritime de l'océan Indien, qui s'étend de la mer Rouge et de l'Afrique à l'Ouest, aux Philippines et au

Viet Nam à l'Est. Depuis 2001, Alindien est engagé dans la lutte anti-terroriste aux côtés des États-Unis. En décembre 2001, il a mis en place un protocole de contrôle naval volontaire (CNV) qui permet aux armateurs et marins d'être en contact avec la Marine française. Tout navire inscrit au CNV et transitant de la mer Rouge au Détroit de Malacca peut donc recevoir, en théorie, des informations de sécurité ainsi que des recommandations liées aux menaces éventuelles.

Malgré les forces de coalition en place sur la zone, au premier semestre 2009 les attaques avaient décuplé par rapport au premier semestre 2008, passant de 6 à 61 attaques. En effet, si les actes de piraterie furent moins nombreux en 2009 dans le golfe d'Aden grâce aux opérations de surveillance, les pirates ont su défier le système, changeant simplement leur rayon d'action. En 2009, des attaques furent signalées au large de la Tanzanie, jusqu'à l'Est des Seychelles ; les pirates suivant les mêmes consignes que celles données par le CNV... Ils s'aventurent de plus en plus loin, moquant ouvertement l'impuissance des grandes forces maritimes.

J'évoque ici les opérations militaires dans l'océan Indien, pour mieux en cerner les limites. Certains journaux ont récemment pointé le succès mitigé de l'opération Atalante. En effet, si un certain nombre d'attaques ont été évitées dans le golfe d'Aden grâce à la surveillance des frégates et aux convois, le phénomène s'est déplacé vers le Sud. Les attaques ont quasiment atteint Madagascar et, je l'ai dit, les Seychelles. Nous-mêmes avons été victimes de ce déplacement des attaques – et certainement pâtis du grand manque de communication entre les différentes opérations. Du reste, le rapport de l'Assemblée européenne de sécurité et de défense a également souligné le succès relatif d'Atalante et ce, malgré une prise de conscience de l'ampleur du fléau par la Communauté internationale. Regrettant, lui aussi, le manque d'interopérabilité entre tous les acteurs intervenant en mer, il invite à assurer la coordination entre toutes les bases navales en améliorant les systèmes de communication et en augmentant les EPE, ainsi que les moyens aériens de patrouille.

Il semble que ce rapport est assez clair sur les besoins de la Somalie et sur les solutions pour voir diminuer la piraterie ; en revanche, l'emploi plus systématique de mercenaires privés sur les bateaux ne peut que provoquer une escalade de la violence. Le 23 mars, un pirate a d'ailleurs été tué par un membre d'une EPE embarquée qui tentait de repousser une attaque. Bien sûr, il faut se protéger, mais est-il légitime pour autant de laisser chacun faire sa propre justice ?

Dix-sept des vingt et un États de la région se sont engagés à instaurer une coopération régionale plus étroite en signant un accord à Djibouti, en janvier 2009. Cet accord prévoyait entre autres un centre de formation régional à Djibouti pour les agents chargés de la lutte contre la piraterie.

Dans ce sens, la communauté internationale doit aider à appliquer cet accord qui permettra aussi de renforcer la police somalienne. Tandis que l'Union africaine doit intervenir avec le soutien des forces de maintien de la paix des Nations unies. Le 19 décembre

2009, en tant que président de l'Union africaine, Kadhafi a reçu une délégation des commandements des comités populaires de défense des côtes somaliennes et a affirmé qu'il empêcherait la pêche illégale et les forages n'ayant pas eu d'autorisation.

En 2009, la communauté internationale a accordé 9 milliards de dollars à l'Irak, 4 milliards de dollars à l'Afghanistan et 400 millions à la Somalie.

Enfin, la convention des Nations unies de Genève de 1958 définit la piraterie comme « tout acte illicite de violence, de détention, ou de dépréciation commis à titre privé pour des buts personnels par l'équipage ou les passagers d'un navire privé ». Mais il a fallu attendre 1982 et la convention de Montego Bay, pour que soit rajoutée à la définition la mention suivante : « L'acte doit avoir lieu en haute mer » (200 milles de côtes). Quant à la loi du 10 avril 1825 pour la sûreté de la navigation et du commerce maritime qui réprimait la piraterie et prévoyait de lourdes peines pour les coupables, elle a été abrogée en 2007. Après les résolutions 1816 et 1838, le Conseil de Sécurité a adopté, le 2 décembre 2008, la résolution 1846 qui confirme la détermination de la communauté internationale à lutter contre la piraterie en Somalie en renouvelant, pour un an, l'autorisation de réprimer les actes de piraterie dans les eaux territoriales somaliennes. Cet accord a été donné par le président du GFT, mais il n'en reste pas moins contestable vu la situation de ce gouvernement. L'opération Atalante possède donc un cadre « légal » pour ses interventions sur zone, mais le vide juridique qui fait des pirates emprisonnés en France un cas encombrant pour l'État[1] est bien réel. Le problème, c'est qu'il n'existe pas de procédure précise qui permette d'engager des poursuites puisque, selon la convention de *Montego Bay*, la juridiction compétente serait celle des tribunaux maritimes, or ils ont été supprimés. Les pirates seraient donc emprisonnés sans qu'aucune loi ne leur soit réellement applicable.

Aucun texte ne permet en conséquence de tirer sur les embarcations montées par les pirates, de les arrêter ou de les retenir. Puisque nous ne sommes pas en guerre avec la Somalie, nous n'avons pas le droit de tirer sur des véhicules ou des personnes circulant sur la terre ferme. Or, marins et commandos français ont tiré sur des embarcations, alors même qu'ils n'étaient pas en légitime défense, ils ont tiré sur des véhicules à terre, ils ont retenu et emprisonné des pirates. D'ailleurs, les avocats des pirates du *Ponant* désignent un coup médiatique de l'Élysée effectué hors de tout cadre légal sur un sol étranger. Au-delà de cette vaste et vaine lutte contre les pirates en plein océan, il serait peut-être temps que le pays des droits de l'homme fournisse un cadre légal à son action sur place.

SIR PETER BLAKE était un navigateur néo-zélandais vainqueur de la Coupe de l'America. Le 5 décembre 2001, à bord de son bateau *Seamaster* (actuellement le *Tara*), il conduisait une mission scientifique dans l'estuaire de l'Amazone avec ses collaborateurs quand

1. www.phmadelin.blog.lemonde.fr/2009/05/11/comment-gerer-les-pirates-des-mers-du-sud

il fut attaqué par un groupe de pirates, à Macapa. Peter Blake fut tué.

Voici comment RFI rapportait les faits à l'époque :

« Le skipper néo-zélandais Peter Blake a trouvé la mort au Brésil. Il a été tué par des pirates alors qu'il remontait l'Amazone à bord de son bateau pour une expédition scientifique.

« Sa passion pour l'aventure et la nature l'aura donc conduit vers son destin, quelque part en Amazonie. La mort de Peter Blake, c'est une très grande perte pour le monde de la voile.[1] »

FLORENT n'a gagné aucune grande régate, c'était simplement un humaniste, un philosophe, un musicien, un écologiste soucieux de l'environnement... qui militait autour de lui, à sa mesure ; son honneur et ses valeurs sont-ils moindres pour autant ?

1. www.rfi.fr/sportfr/articles/024/article_18077.asp

Épilogue

Aujourd'hui, après un an à analyser les événements et toutes les données en ma possession, j'ai une vision claire de ce qui s'est passé. Au premier tir venant de la frégate, le zodiac des commandos s'est élancé pour arriver près de *Tanit* trente secondes plus tard. Or les tireurs d'élite continuaient à tirer pendant ce court laps de temps. Allant jusqu'à tenter même de neutraliser « Émail Diamant » par un tir au travers de la coque qui est passé à moins d'un mètre du dos de Colin. Ainsi, les commandos qui pensaient apercevoir trois cadavres sur le pont n'ont vu qu'un blessé, et n'eurent que quelques secondes pour appréhender cette situation imprévue. Bien sûr, ils ont aussi vu des balles ricocher sur le pont mais, malheureusement, sans avoir le temps de réaliser qu'elles venaient de leur propre camp.

Le commando qui a tiré sur Florent n'était pas menacé, un seul coup de kalachnikov a retenti à son arrivée, à l'avant, loin de lui et sans traverser ni la coque ni le pont. Je ne sais pas à quoi il pensait au moment où Florent tenta de lui parler, son casque l'empêchant certainement d'entendre, mais il eut quelques secondes pour l'identifier, entre l'instant où je l'ai vu se poster au-dessus de nous et le « Ohhh ! » de Florent.

Je n'ai plus l'espoir d'entendre un quelconque membre du gouvernement rétablir les propos diffamatoires qui ont été tenus à notre encontre, je suis définitivement écoeurée d'avoir été le pion de l'échiquier politique de M. Sarkozy, mais je veux montrer à Colin que je ne baisse pas les bras.

Je voudrais rappeler qu'aucun citoyen français n'est à l'abri de se retrouver un jour dans ma position. Je pense que le gouvernement continuera à privilégier ses choix politiques aux dépens de nos vies, dans le cas d'attaques terroristes par exemple.

Avec Florent, lors de nos longues discussions dans le cockpit de Tanit, filant vers nos rêves, nous discutions souvent des navigateurs solitaires comme Moitessier. Nous pensions que cela devait être terriblement frustrant de ne pas pouvoir partager ses émotions. Pourtant, aujourd'hui, je navigue seule, perdue dans les méandres de mes pensées, errant sur un océan de tristesse.

Alors "je rigole, que pourrais-je bien faire d'autre[1]"... Comme avec les pirates, l'instinct de survie, pour lui et pour Colin, reprend le dessus ; le rire comme moyen de défense.

Florent était le plus sensible des hommes que j'ai été amenée à rencontrer ; il était aussi intelligent, passionné, insatiable, volontaire et créatif. Je pourrais bien sûr m'épancher sur lui, des pages entières, à renforts de qualificatifs tous plus agréables les uns

---

1. Les Têtes raides.

que les autres ; cependant il avait de multiples facettes et toutes comptent autant dans sa personnalité. Depuis mon retour en France, bien des fois j'ai eu à subir des commentaires désagréables. Curieusement, celui qui m'a le plus blessée n'a pas été dit méchamment, et venait d'une personne de mon entourage : « Maintenant que Florent est mort, tu pourras l'idéaliser alors que, peut-être, votre histoire aurait pris fin un jour. » Je crois être objective en affirmant sans l'ombre d'un doute que Florent était l'Homme de ma vie.

Le retour en France sans lui n'est pas évident tous les jours, mais aujourd'hui je sais que nous allons repartir vers de nouvelles contrées.

Tanit est toujours sous scellés, dans l'état où je l'ai laissée le 10 avril. Une enquête est en cours dans le but de déterminer le rôle de chaque pirate. Je sais que je vais devoir me battre pour qu'ils ne soient pas jugés pour un crime qu'ils n'ont pas commis. Je pense souvent à « Émail Diamant » et à la femme qu'il a laissée. Il m'arrive même de songer à Jaama. Trois vies se sont arrêtées sur *Tanit*, aurai-je le courage de reprendre la mer avec elle ? Je ne le sais pas encore, mais ce qui est certain c'est que je ne m'en séparerai jamais.

« Il y a trois sortes d'hommes : les vivants, les morts, et ceux qui voyagent sur la mer. » Platon.

Est-ce que j'irai en Somalie un jour, je l'espère. Si le souvenir de Florent ne s'arrête pas pour moi dans l'océan Indien, en revanche notre rêve s'est évaporé le long des côtes somaliennes. Je pense que cette terre fait partie de ma vie maintenant et je voudrais trouver la force d'apporter mon aide aux Somaliens et à leur pays, aussi minime soit-elle par rapport à leur détresse.

Un an plus tard, mon combat est intact : que l'État redonne sa place à la vérité et rétablisse ainsi l'honneur de Florent.

Avec Colin, nous allons continuer le voyage de la Tanit Family et trouver un endroit paisible, quelque part au soleil... Mais je ne suis pas inquiète, Florent est notre guide.

Hervé m'a dit que nous devions « être fiers d'avoir été les heureux élus de ce passager du vent » alors je vais m'accrocher pour ne pas sombrer. Je pense au nom du dernier bateau de Moitessier, *Tamata*... « Essaye. En polynésien.

J'ai envie d'y croire

J'ai envie d'y croire...
Tu aurais pu être l'Indien du Pacifique
Tu es le pacifiste de l'océan Indien
À l'heure où des rêveurs décident de mettre les voiles
À l'heure où des pacifistes meurent sous les balles...
J'ai envie d'y croire
Pour Toi, pour Elle, pour Lui...
Tu t'es envolé sans aucune volonté
On a envie de gueuler, de venger
Mais tout ce que l'on peut faire c'est continuer
On ne peut que respecter
Prôner l'amour comme tu l'as fait
La liberté dont tu rêvais
Tu es parti en vivant ton rêve
Tu leur as enseigné ça à tous
Ce vent dévastateur qui a soufflé sur *Tanit* ce jour-là
Si soudain, si injuste et tellement brutal
Tout ça malheureusement n'est pas que du vent
Ça doit servir, tu ne l'as pas fait pour rien
Les rêves ne sont qu'illusion tant que l'on en reste
                                    spectateur
Avoir la force de les vivre, d'en être acteur
Quelle belle leçon Monsieur Lemaçon

Toi qui avais tant à voir
Tu nous as tant appris
Nous qui allons nous battre pour nos rêves
Pour les tiens Flo'
Nous qui sommes à fleur de peau
Cette terrible nouvelle résonne encore dans nos têtes
Si absurde, si injuste, si cruelle
Pour ta quête, ma page ne sait rester muette
Mais Chloé, Colin, n'arrêtez jamais de rêver
Vous avez su construire un rêve ensemble
Cette beauté doit continuer d'exister
Pour toi, Flo'
Tant que cette planète connaîtra des gens comme vous
Tant que nous continuerons à nourrir nos rêves
Son rêve
Il y aura de l'espoir
Alors j'ai envie d'y croire
Un certain Antoine de Saint-Exupéry aurait dit
« Fais de ta vie un rêve, et d'un rêve une réalité »
Que ce drame serve à raisonner les âmes
De ceux qui, posés devant leur télé, se permettent de juger
Florent est un acteur de la Liberté
Colin ton papa est Grand
Sa gentillesse, cette force tel un exemple de sagesse
Son étoile comme un cap pour nos voiles
L'océan n'a pas de limite, mais la liberté a un prix
Et les Gandhi de nos jours tombent sous les balles
de la haine
Fuir la haine pour apprendre à vivre
Se laisser porter au gré des marées
Savoir écouter, respirer, observer
La poésie de votre voyage nous a transcendés
Tout laisser pour affronter un océan de réalités

Révélateur de vérités, d'espoir pour votre bébé
Oser ce que d'autres se contentent d'imaginer
Quelle leçon d'Humanité
Alors j'ai envie d'y croire...
Nos larmes coulent
Que Colin et Chloé soient portés par ce fleuve de respect
qui t'accompagne
Cet océan de fierté
Pour toi Florent le passionné
Puisse cette haine qui nous anime
Changer la pauvreté de certains en envie commune de
reconstruire
De bâtir un empire sans pour autant se permettre de
démolir
Que ceux qui règnent sur un bout de mer sans foi ni loi
Eux qui instaurent un périmètre de non-droit
Mais de quel droit ? !
Que ceux qui s'enrichissent sur la barbarie de cette
piraterie
Entendent ces mots et agissent pour Flo'
Un marin loin d'être insouciant
Un Homme qui voulait apprendre à son enfant
Autre chose que la cruauté
Lui montrer que ce monde est plein de beauté
Alors j'ai envie d'y croire...
Moi qui avais les voiles gonflées d'espoir
Je souffle sur vous un vent de pensées
Et que cette merveilleuse Odyssée de la liberté
Puisse toujours nous donner envie d'y croire
Pour que Colin et Chloé se sentent comme bercés
Par cette quête qui nous a bouleversés
Florent Lemaçon, je te rends le flow à ma façon
For You I will keep hopping, keep dreaming and stop
wondering why

The spiritual revolution has just begun
While you are sailing on a blue blue sky
On the vibes of the cruise of the dolphin tribe.

Matthias Berthe.

RÉALISATION : NORD COMPO À VILLENEUVE-D'ASCQ
IMPRESSION : CPI FIRMIN DIDOT AU MESNIL-SUR-L'ESTRÉE
DÉPÔT LÉGAL : MAI 2010. N° 102719 (99777)
Imprimé en France